그러다 문득,
나에게 로열젤리를 먹이기로 했다

그러다 문득, 나에게 로열젤리를 먹이기로 했다

지은이 김혜영
지은이 이메일 flourish09@naver.com

발 행 2024년 5월 1일
펴낸이 한건희
펴낸곳 주식회사 부크크
출판사등록 2014.07.15.(제2014-16호)
주 소 서울특별시 금천구 가산디지털1로 119 SK트윈타워 A동
305호
전 화 1670-8316
이메일 info@bookk.co.kr

ISBN 979-11-410-8285-7
가 격 15,100 원

www.bookk.co.kr

그러다 문득,

나에게 로열젤리를 먹이기로 했다

뭉뚱한 삶의 순간 떠오른 `아하!`가 담긴 일상 에세이

김혜영 에세이

BOOKK

머리말

오래전 친구에게 한 일본 작가의 만화책을 선물 받은 적이 있습니다. 책에는 다양한 인물과 그들의 소소한 일상 그리고 신경 쓰지 않는다면 눈치채지 못했을 생각들이 섬세히 그려져 있었습니다. 이후 그 작가님의 에세이를 읽게 되었고, 그분의 일상과 생각을 공유하며 혼자가 아니라는 위로를 받았습니다. 그때 에세이가 가진 공감과 위로의 힘을 느꼈고, 저도 저의 일상의 경험과 생각을 남기고 나누며 작은 위로를 전하고 싶다고 생각했습니다.

저는 30대 초반을 지나며, 타인 위주로 살아왔던 나를 보게 되었고 내가 느끼고 원하는 것이 중요함을 깨달았습니다. 이 책엔 그렇게 30대 초반을 지나 40대 중반을 보내는 동안 있었던 저의 소소한 일상과 흘러가는 생각들을 몇 개 담았습니다. 문득 떠오른 생각들을 언젠가 정리하고 싶다고 생각했지만 밀어닥치는 시간 앞에서 수년을 보내고 말았습니다. 더 늦기 전에 서툴더라도 한번 시도해보자는 마음으로 용기 내어 작은 첫발을 내딛습니다. 저의 글이 누군가에게 닿아 공감과 위로가 되면 좋겠고, 서툰 이 첫걸음이 길고 아름다울 여정의 시작이 되길 바라봅니다.

 자신의 길을 걸어가며, 세상을 살아가고 살아내고 있는 우리 모두를 응원합니다.

2024년 4월 25일 봄날 밤에

차례

나에게

로열젤리를

먹이기로 했다

나에게
로열젤리를
먹이기로 했다

그러다 문득, 나에게 로열젤리를 먹이기로 했다

나이를 먹어가고 어른으로 살며 부침을 겪다 보면, 어린 시절의 결핍을 되새김하게 되는 때가 생기는 것 같다. 나도 그런 시간을 열병처럼 앓았다.

나는 어린 시절, 매년 초 '올해는 친구들과 잘 지낼 수 있을까' 걱정하는 내향적인 아이였다. 조용하고 문제를 일으키지 않아 조금은 방치되듯 있던(물론 내 기준이다), 집에 돈이 없다는 이야기를 듣고 '난 괜찮아'하며 알아서 욕망을 거세했던, 내가 무엇을 좋아하고 할 수 있는지 알아볼 기회를 많이 갖지 못한 아이였다.

다행히 공부는 못하지 않은 덕에 얼핏 무난히 사는 듯 보였지만, 경험 부족의 성인이 된 나는, 이십 대에 서투

름과 실수로 범벅되고, 무너지기도 했다. 그리고 '나는 뭘 해도 안되는 사람이야', '내가 하는 결정은 이상해서 믿을 수 없어'라는 심각한 자책의 수렁에서 방황하게 되었다.

TV에는 잘나가는 연예인들이 잔뜩 나와 웃고 떠들었고, 주변에는 직장에 다니고 취미생활을 하며 여유롭게 지내는 사회적응자들이 가득해 보였다. '저들은 많은 관심을 받고 자랐을 거야.', '수많은 기회를 갖고 성공 경험을 해서 자신감이 장착되었을 거야.', '애초에 사회에 적응하기 좋은 성격으로 태어났겠지.' 생각했다. 나만 홀로 세상에 어울리지 못한 채 덩그러니 놓여있는 거 같았다.

내가 왜 이렇게 된 걸까 생각하며, '어린 시절 다른 환경에 있었다면', '좀 더 많은 관심과 돌봄을 받았더라면', '누군가 내 재능을 찾을 수 있게 해주었더라면', '많은 경험을 할 수 있었더라면', '내가 원하는 걸 주장해보았더라면'이라는 수많은 '만약' 도돌이표를 돌렸다. 난 그렇게 한참을 지난 시절에 대한 원망과 자학의 시간 속에서 보냈다.

그러다 어느 순간, 이미 훌쩍 커버린 내게 부모님이 그런 것을 해줄 수는 없고 나 역시 그렇게 받아만 먹을 나이도 아니고 우리 집이 그런 여건도 안된다는, 담담하고 깔끔한 현실이 읽혀졌다. '이렇게 내 인생 제대로 시작하기도 전에 나는 끝나는 것인가'라는 생각이 들던 찰나였다. 어디에선가 들었던 벌의 생태특성이 떠올랐다. 벌은 모두 똑같이 태어나는데 로열젤리를 먹이면 여왕벌이 되고 그냥 꿀을 먹이면 일벌이 된다는 것이었다.

문득 '내가 나에게 로열젤리를 먹이면 되겠구나.'란 생각이 들었다.

지금까지 '다른 이들'이 주는 먹이를 먹고 그 영향 속에서 살았다면, 이제는 내가 원하는 먹이를 주고 나를 키우면 된다 싶었다. 나이가 들어 '다른 이들' 때문이라 말하기도 어려워 억울했던 때, 오히려 내 자신에게 온전한 영향을 주면 된다는 생각이 들었던 거다. 조금씩 회색 안개가 걷히고 날이 개는 거 같았다.
'아하, 그러면 되는 거구나.'
돌아보니 나조차 내가 원하는 걸 제대로 해준 적이 없었다. 다른 이를 배려하고, 다른 이들의 삶에 관심을 갖고 일했지만, 정작 나에게는 그러지 못했다. 이제부터 내게 좋은 것을 주고, 내가 무엇을 좋아하는지 관심을 갖고, 좋아하는 것을 해볼 수 있게 하자 생각했다.

나는 다른 시선으로 나를 되짚어보기 시작했다.
'내가 뭐를 좋아했었지?', '뭐를 할 때 재밌었지?', '어떤 때 신났지?', '뭐를 해보고 싶었지?'. '왜'라는 질문은 '무엇'으로 바뀌어있었다.

아주 작은 것들이 떠오르기 시작했다. 어릴 때 낙서했던 순간, 미술 학원에 가는 건가 기대했던 순간, 멍하니 앉아 상상하던 순간, 춤을 추던 순간, 노래 목소리가 좋다고 칭찬받던 순간, 연기로 표현하는 게 어떤가 관심을 가졌던 순간. 작지만 반짝였던 수많은 순간의 조각들이었다.

난 예전이라면 생각만 하고 시도하지 않았을 것들을 용기 내 시도했다. 원데이 그림 클래스, '영화주인공이 나라면' 주제의 인문학 클래스, 영화감상 모임, 발레 수업, 시쓰기 클래스, 글쓰기 클래스, 그림책 클래스, 전시회 감상 등. 수

년간 아주 조금씩이라도 나를 위해 무언가를 해주려 했다.

내가 좋아하는 게 무엇인지, 하고 싶은 게 뭔지 조금씩 보이기 시작했다. 나를 표현하고 싶고 책을 내고 싶다는 꿈들이 생기기도, 무언가 이루고 싶다는 전에 없던 소망이 생기기도 했다. 그리고 이런 것들은 여전히 현재진행형이다.

앞으로 어떻게 될지, 이 길을 얼마나 더 걸어갈지는 아무도 모른다. 하지만 우선 지금은 나에게 잘해주고, 새로 생긴 작은 소망들을 소중히 간직하며 조금씩 만들어가고 싶다. 나는 조금 늦은 나이에 시도하였지만, 다른 이들은 늦지 않게 찾고 오래 즐거이 걸어가기를 또한 바란다.

오늘도 난 다짐한다.

'그래, 나는 나에게 로열젤리를 먹이기로 했다.'

지하철에서

나이든

노인을 보며

지하철 1호선을 타고 인천에서 서울로 향하는 길이었다. 잠시 정차한 역에서 창문 밖으로 허리 굽은 한 할머니가 보였다. 꼿꼿이 걸어가는 사람들 속, 할머니는 한 걸음씩 천천히 발걸음을 옮기고 있었다. 평상시라면 스쳐 지나칠 풍경이었는데, 문득 '저 할머니는 그 긴 세월 동안 어떻게 고통을 견디며 살아오셨지?'란 생각이 들었다.

그때 내 나이 서른을 조금 넘겼을 때였다. 겨우 버티듯 지내왔고, 버티듯 지내고 있었으며, 앞으로 내가 겪을 일들을 감당할 수 없을 거 같았다. 나이를 먹는 게 이렇게 힘든 일인가 싶었다. 그런데 저 할머니는 수십 년의 세월, 내가 모를 수많은 삶의 순간을 경험하고 살아오셨을 거였다. 부모님이 돌아가셨을 거고, 배우자도 잃었을지 모른다. 경제적으로 어려워 초라했을지도, 그로 인해 처연한 인간관계를 경험했을지도 모른다. 내가 알지 못하는 수많은 사건과 인간관계 속에서 비통했을지 모른다. 저 할머니는 그런 어마어마한 일을 다 겪고도, 굽은 허리로 지하철을 다니면서 꿋꿋이 생을 이어나가고 있었다.

처음 도로주행 나갔을 때 모든 운전자들이 대단해 보였던 거처럼, 세상에 수많은 나이 든 사람들이 존경스럽게 느껴졌다. 그들은 무수한 삶의 질곡을 겪고, 버티고, 살아남았다. 그 시간을 지나온 것만으로도 존중받을 만하다는 생각이 들었다.

당시 난 20대 후반과 30대 초를 지나며, 사회 속에서 나이에 따른 변화와 부담을 많이 느꼈던 거 같다. 일터에서도 새로 들어간 집단에서도 20대 초중반과는 다른 어른스러운 모습을 보여야 한다고 스스로 압박하고 있었다. '어리니까 그럴 수 있다'는 방어막이 작동하지 않는 나이가 되어, 모르는 일이나 낯선 상황에서 내 부족함을 점점 이해받기 어려워지는 거 같았다. 전보다는 좀 더 많은 역할이 기대되기도 했고, 사람들이 나를 원래부터 나이가 많은 사람이라 여기며 대하는 게 느껴지기도 했다. 새로운 집단에 들어가 보니 나이는 많지만 집단 내의 위치는 그렇지 않은 경우도 있었고, 기대되는 역량보다 못하는 상황이 생기기도 했다. 직업, 경제력, 이성 친구 같은 요소를 채워야 어디에 가서도 나를 나타낼 수 있고 존중받을 수 있을 거 같은데, 그런 것들을 채우지 못했고 잘 채울 엄두가 나지 않기도 했다. 나의 속도보다 세상의 속도가 빠르게 느껴지던 때였다.

사회적 상황뿐만 아니라, 나이가 들며 인간으로서 어쩔 수 없이 겪어야 하는 개인적 경험도 나를 불안하게 했었다. 특히 상실에 대한 두려움의 영향이 컸던 거 같다. 고등학교 졸업 직후, 함께 살던 외할머니가 돌아가셨을 때 감당 안 될 정도로 너무나 슬펐던 적이 있는데, 한번 그런 경험을 하자 다시 겪고 싶지 않은 것은 물론 그 감정이 두려워지게 되었다. 그런데 20대 후반, 엄마가 두 번째 암 수술을 받았고, 그때 많이 흔들렸던 거 같다. 그리고 마음을 주었던 사람과 멀어지며 힘들기도 했었다. 사랑하는 사람을 잃는다는 게 가장 충격적이고 고통스러운 사건이라 하는데, 그런 것들이 더해져 나이 드는 것이 쉽지 않음을 느끼게 했던 서 같다. 돌아보면, 30세 즈음이 되가며, 한 해 한 해 부모님이 나이 들어가는 모습을 보면 계속 함께하지 못할 수 있다는 생각이 전보다 자주 들고 불안감도 그만큼 더 느꼈던 것 같다. 남겨지는 상황에서 겪을 아픔과 그리움이 실제 할 수도 있다는 두려움도 생기기도 하고 말이다.

지금 나는 마흔을 넘겼고, 그간 여러 일과 변화가 있었다. 어쩌다 직장을 다니게 되었고, 아버지가 돌아가셨고, 갚을 수 있을 거라 생각 못 했던 학자금 대출을 완납했다. 소중한 인연을 만나기도 했고, 인연의 소중함을 느끼기도 했으며, 고마운 분들에게 인사하기도 했다. 삼십 대를 지나며 가치관이 바뀌었고, 내게 맞는 방향으로 가려고 조금씩 노력하게 되었고 좋아하는 것을 찾아가고 있다. 하지만 여전히 진로를 고민하고 있으며, 상실에 대한 두려움을 갖고 있기도 하다. 전보다는 나아진 부분이 있지만 그래도 그리 많이 경험하고 성숙하다고 말하기는 어려운 나이이다. 물론 아직 나는 나이만으로도 존중받을 만한 나이도 아니지만 말이다.

내가 어떻게 될지, 언제까지 세상에 있을지는 모른다. 하지만 지금은 두려움보다는 현재에 집중하며 살고 있고, 조금씩 깨달은 것들을 되새기며 삶을 다잡아 가려 한다. 그리고 이런 순간들이 나를 좀 더 나은 생으로 이끌어주기를 바란다.

그래서 오늘 난 오래전 깨달은 나이 든 이들에 대한 존경심을 다시 꺼내 생각해 본다.

우쭐하면

다친다

그러다 문득, 나에게 로열젤리를 먹이기로 했다

십여 년 전, 멀리 사는 사촌 언니의 결혼식에 가게 되었다. 다시 학생이 되어 공부하고 있던 나는, 오랜만에 마음에 드는 정장 원피스를 입고 화장을 하게 되었다. 버스와 전철을 한참을 타고 가 결혼식장 근처에 도착했고, 도보 10분 거리에 있는 결혼식장으로 걸어가고 있었다.

당시 나는 학업과 대인관계로 인해 한참 작아져 있었고, 오랜만에 꾸며본 것만으로도 길에 지나는 사람들이 나를 보고 이쁘다고 생각할 거 같다는 말도 안 되는 자기만족의 경지까지 이르렀었다. 그렇게 우쭐한 마음으로 한 5초를 걸었을까,

'철퍼덕'

보도블록에 구두가 걸려 넘어지고 말았다. 난 만화주

인공들이 맨홀에 빠질 때 순간적으로 사라지는 속도로 엎어졌다.

　놀랐다. 그리고 아팠다. 스타킹 신은 맨다리와 손이 거친 보도블록에 인정사정없이 부딪혔고, 타는 듯한 아픔이 전해졌다. 뽐내고 싶던 정장은 창피함을 더해주는 요소가 되었고, '나를 봐요'란 마음은 '못 본 척 어서 그냥 지나가요'라는 마음으로 바뀌었다. 아픔과 창피함에 상처를 제대로 볼 여유가 없었고, 난 엉거주춤 아픈 몸을 추스르며 할 수 있는 한 빠르게 일어나 아무렇지 않은 듯 다시 걸어가기 시작했다. 몸도 아팠지만 마음도 아팠다. 잠시나마 나에 대한 자신감을 채워가려는 참이었는데, 무방비상태의 내 마음도 추락하듯 넘어진 것이다.

　그렇게 몇 걸음을 걷는데 종아리가 간지러웠다. 뭔가 하며 다리를 보니, 스타킹은 찢어지고, 양 무릎에선 시뻘건 피가 흐르고 있었다. 내가 넘어진 걸 보지 못한 사람들도 내가 어마어마하게 넘어졌다는 걸 바로 알 수 있었다. 난 부끄러움에 가방으로 무릎을 가리고 절뚝이며 병원을 찾기 시작했다. 다행히 200m 정도 걷자 정형외과가 나왔고, 무사히 응급처치를 받고 늦지 않게 결혼식에 참여할 수 있었다.

　무릎의 상처는 몇 주의 시간을 지나며 아물었지만, 당시의 사건은 나에게 심적으로 꽤 큰 충격으로 다가와 나를 괴롭혔다. 내내 쭈그러져 생활하다가 겨우 5초 정도 혼자 우쭐하다가 그런 일이 생겼으니 말이다. 그게 그렇게 잘못인 건가, 내 인생에는 그것조차 허락이 되지 않는 건가 싶었다. 그때를 곱씹으며 내가 뭘 잘못한 건지 생각했다. '5초의 짧은 시간 동안 내가 다른 사람을 내려다보았나, 외모로 잠시나마 으쓱하려는 가벼운 태도의 잘못인가(실제 외모가 그렇다는 건 아님을 밝혀둔다)' 하다가, '나도 남들처럼 자신감 있게 으쓱하며 살고 싶은데 난 그러면 안 되는 사람인 건가, 남들은 그렇게 사는데 왜 나한테만 이러는 건가, 난 자신감을 가지면 안 좋은 일이 생기나 보다.' 하는 안드로메다로 향하는 생각까지 들었다. 5초의 넘어짐으로 내 생의 전반에 대한 자괴감까지 느꼈던 거다.

　어쩌면 단순히 길 가다 넘어진 일일 수 있지만, 그렇게 그 사건은 내 마음에 강렬히 남게 되었다. 그 후, 섣불리 나서려 하고 잘 보이고 싶은 순간이 오면 나도 모르게 그 때가 떠올랐고, 난 잠잠히 '아니다'라며 한발 물러서 조심하게 되었다. 뜨거운 거에 덴 사람이 조심하는 것처럼 말이다. 그 사건으로 '우쭐하면 다칠 수 있다.'는 것을 몸소 체험했던 거다.

그렇게 십수 년이 지나며 그 사건은 내 안에서 숙성되어 갔다. 당시에는 그저 원망스럽고 괴로운 사건이었지만, 잘 보이고 싶고 뽐내고 싶어 하는 순간 조금은 겸손할 수 있게 만들어주는 브레이크 장치가 되어갔다. 물론, 내가 겸손하고 고매한 인격이 되었다는 것이 아니다. 그저 전보다 나의 가벼움을 조심할 수 있게 해주는 경각심을 조금 갖게 되었다는 것이다.

그 사건이 없었다면 어땠을까도 생각해 본다. 어쩌면 자신감에 차 있는 사람이 되었을 수도 있고, 유치하게 뽐내고 싶어 하는 사람이 되었을 수도 있다. 또 다른 경험을 통해 비슷한 결론에 도달했을지도 모르고, 그런 상황에 대해 인식조차 못 하고 사는 사람이 되었을 수도 있다. 하지만 그 일은 일어났고, 남들에게 잘 보이려고 행동하는 건 내게 맞지 않고 의미도 없으며, 상대방을 내 만족을 위한 대상으로 취급하면 안 된다는 걸 생각하

그러다 문득, 나에게 로열젤리를 먹이기로 했다

게 해 준 기회가 되었다. 그리고 지금 나에게 '겸손'이라는 브레이크 장치 역할을 하고 있다.

어떤 일이 일어날 때, 당시에 일어난 일이 나에게 어떤 의미인지 어떤 영향을 미칠지는 모르는 거 같다. 좋고 행복한 일보다는 힘들고 아픈 일은 받아들이기 어려워 더 그런 거 같다. 하지만 나이를 먹으며, 힘들고 아픈 일들이 좀 더 나은 모습을 가질 수 있게 하는 계기가 되는 것을 경험하기도 한다. 당시 일로 나의 몸과 마음은 다치고 아팠지만, 십수 년이 지난 지금 내 영혼에는 괜찮은 처방이 되었던 것처럼 말이다.

지금도 가끔 약속이 있어 예쁘게 입고 나가면 기분 좋게 거리를 걷는다. 하지만 '나를 봐요'라 외치는 마음이 아니고, 스스로 내 모습에 만족하며 고개 숙이는 마음으로 걸어간다. 언제든 넘어질 수 있음을 기억하며 말이다.

하지마의 힘

그러다 문득, 나에게 로열젤리를 먹이기로 했다

십여 년 전 친척 결혼식을 가다 넘어져 무릎을 심하게 다친 적이 있었다. 근처 병원에서 응급처치를 받고 결혼식에 참여한 후 집으로 돌아와 동네에서 치료를 받기 시작했다. 응급처치를 받을 때 '엑스레이를 찍어봐야 할 거 같다.'는 의사의 말에 많이 걱정했는데, 다행히 엑스레이 검사 결과 뼈에는 이상이 없었다. 드레싱만 잘 받으면 될 거 같다는 의사의 말에 그나마 다행이다 싶었다.

난 매일 드레싱을 받으러 갔고, 원장님은 내가 아플까 봐 조심히 상처를 봐주었다. 전문가에게 보살핌을 받는다는 느낌이 들어 믿음이 갔고, 편안한 마음으로 치료를 받을 수 있었다. 그런데 상처를 보나 보니 흉터가 걱정되기 시작했다. 이미 무릎에 어렸을 적 넘어진 상처가 많았고, 나이 들어 회복이 더딜 것이라 걱정되었다. 인터넷 검색을 통해 습윤밴드라는 것을 알게 되었는데, 상처에 붙이면 회복도 빠르고 흉터를 덜 남게 하는 아이템이라 했다. 요즘은 습윤밴드가 많이 알려져 있지만, 당시는 흔히 사용되지 않던 때였다.

상처 난 지 5일쯤 지난날 의사에게 습윤밴드를 붙여도 되는지 물었고, 의사는 잠시 뭔가를 생각하는 듯하다가 '지금은 그렇게 효과가 없을 수 있지만 붙여도 된다'고 했다. 상처가 난 후 시간이 한참 지난 터라 나 역시 효과가 없을 수 있다고 생각했다. 하지만 혹시나 하는 마음과, 지금 뭔가를 해야 나중에 후회하지 않을 거란 생각에 마음의 위안을 위해 붙이려고 했다. 의사도 그걸 알고 굳이 말리지 않은 거 같았다.

습윤밴드를 붙이고 드레싱을 받으러 다녔고 며칠이 지났을 때였다. 병원은 평소와 달리 텅 비어있었고, 두세 사람만 대기하고 있었다. 무슨 일인가 싶었지만 대기자가 없어 좋다고 생각하며 기다렸다. 얼마 지나지 않아 내 이름을 불렀고 난 진료실에 들어갔다. 그런데 처음 보는 다른 의사가 진료를 보고 있었다. 주말이라 당직의가 바뀐 것이었다. 잠시 당황했지만 드레싱을 받는데 큰 차이는 없겠지 생각하며 평소처럼 치료받는 의자로 향했다. 문에서 의자까지 가는 거리가 꽤 있었음에도 그 의사는 내가 인사하고 앉을 동안 한 번도 나를 쳐다보지 않았고, 무표정하고 뭔가 불만이 가득한 표정으로 앉아있었다. 내가 자리에 앉자, 의사는 고개를 들지 않고 차트를 보다가 다리를 올려달라 했다. 치료대에 다리를 올리고 바지를 무릎까지 걷었고, 무릎과 종아리에 덕지덕지 붙어있는 붕대와 습윤밴드가 보였다. 그 의사는 어이없다는 표정을 지으며 '이런 거 소용없어요.'라며 다짜고짜 드레싱과 상관없는 곳의 습윤밴드를 확 잡아 뜯었다. 너무나 갑작스러워 놀랐고, 아팠다. 습윤밴드에 붙어있던 작은 딱지가 떨어진 게 보였다.

이상하게 가슴이 철컥하고 더 아팠다. 나를 처리해야 하는 귀찮은 대상으로 취급한다 느껴졌다. 존재가 침범당하는 듯했고, 이런 모욕적인 느낌을 참고 치료를 받아야 하는가 싶었다. 이대로 치료를 받으면 내 마음과 존재에 상처가 날 것 같았다. 나를 그렇게 취급하는 사람에게 내 몸을 맡기면 안 될 것 같았고, 맡기고 싶지도 않았다. 병세가 심각해서 이 의사가 아니면 안 되는 것도 아니고, 지금 치료를 받지 않는다고 당장 큰일이 나는 것도 아니었다. 난 치료를 거절하기로 마음먹었다.

의사가 간호사에게 "소독약이요." 하며 치료를 시작하려고 했다. 난 "아니요, 저 치료 안 받겠어요. 괜찮습니다." 하며 접어 올린 바지를 내렸다. 의사와 간호사는 순간 놀라 멈춰 나를 바라보았고, 의사는 당황한 듯 치료를 권했다. 간호사도 부드럽게 '그래도 치료를 받아야지 않겠냐.' 했으나 난 정중히 괜찮다며 재차 거부 의사를 밝혔다.

두근거렸다. 그렇게 내 의사를 표현한 적이 거의 없었기 때문이다. 난 기분 나쁜 일이 있어도 이해하려고 하며 참고 넘어가거나, 어떻게 해야 할지 몰라 넘어가곤 했었다. 그럴 때마다 '괜찮다' 하며 스스로를 설득했지만 마음은 찌그러져 갔고, 나는 무력해지고 있었다. 더 이상 그러고 싶지 않다고 생각하던 중, 처음으로 용기 내보았던 것이다.

난 옷을 잘 다듬고 진료실을 나와 진료비 수납을 위해 기다렸다. 의사는 간호사를 호출해 무언가 말했고, 간호사는 내게 진료비를 내지 않고 그냥 가도 된다고 했다. 그렇게 말하는 간호사의 표정에서 '미안하다, 이해한다.'는 마음이 느껴졌다. 병원을 나오며 대기실을 돌아보는데, 사람이 없는 이유를 알 거 같았다.

병원을 나와 걸어가면서도 한참 떨렸던 거 같다. 해보지 않았던 말과 행동을 했으니까. 그런데 기분 나쁜 취급을 받아 마음이 상한 상황인데도 이상하게 그리 기분 나쁘지 않았다. 오히려 내 안에서 뭔가 차오르고 회복되는 느낌이 들었다. 누군가 쳐서 찌그러져 버린 내 안의 무엇인가가 펴지는 거 같았고, 마음에 무겁게 남겨지는 것 없이 시원하고 좋았다. 다들 자신을 방어하며 이런 마음으로 사는구나 싶었다.

누군가 나에게 뭐라 하면, 이해하고 참아야 하는 줄 알았다. 그래야 착한 아이였고, 조용히 그 상황이 지나가게 되니까. 내가 참고 넘어가면 잘했다는 식의 반응이 주어졌고, 상대는 얻고 싶은 것을 얻으며 넘어갔다. 점점 내가 참고 넘어가는 게 당연시되었고, 난 그런 사람이 되어갔다. 상대는 불편함 없이 그 순간을 잊고 지냈지만, 나는 참고 다치며 마음 한구석이 조금씩 찌그러져 갔다. 내 목소리를 내는 법을 제대로 익히지 못한 채 성인이 되었고, 가장 잘 지켜야할 나를 지키지 못하는 무력한 세상에 서있었다.

그런데 '하지마' 한마디는 이전과는 다른 경험을 하게 해주었다. 내가 누군가 던지는 돌을 맞아도 되는 존재가 아니며, 내게 던져진 돌을 바라보고 아파하고만 있지 않아도 되고, 그 돌을 원래 주인에게 돌려줄 수도 있으며, 돌이 치워지면 구겨진 마음이 펴질 수 있다는 것을 느끼게 해주었다.

진작 그랬어야 했다. 나의 마음과 기분을 소중히 하고 내 존재를 주장하며 살았어야 했다. 난 주변을 조용하게 하기 위해 입 다물고 있어야 하는 존재가 아니었다.

부당한 대우에 '아니요.'라고 하는 것이 남들에겐 당연한 행동일지 모르나, 내게는 새로운 경험이었다. 그리고 서툴지만 나도 할 수 있다는 걸 알게 되었다.

그 일이 있은 지 십수 년이 지난 지금, 어떻게 지내왔고 어떤지를 생각해 본다. 전보다는 나를 주장하기도 했지만, 예상치 못한 무례함에 당황하기도 했고, 사회적 압박 속에 제대로 대처하지 못하기도 했다. 여전히 오래전 갖고 있던 참고 넘어가려는 방식이 내 기억과 마음과 정서 곳곳에 있음을 느낀다.

어쩌면 '하지마'라며 나를 펼쳐지게 했던 기억을 잊고 지냈기 때문일 지도, 아니면 잊어야만 지낼 수 있는 상황에 나를 놔둬서 일지도 모르겠다. 어쨌건 다시 스스로를 작아지게 만들고 있었던 거 같다는 생각이 들었다.

다시 나에게 무례하게 행하는 자에게 가드를 치고 마음의 근육을 키워야 할 거 같다. 그리고 나이를 더 먹으며 드는 생각이지만, 나를 계속 방어하게 만드는 곳이라면 떠나는 것이 맞을 것이라 생각한다. 굳이 나를 힘들게 할 필요는 없으니 말이다.

다시 내 마음이 구겨지지 않게 잘 돌봐야겠다. 다른 이의 것도 구겨지지 않게 조심하면서 말이다.

낙엽

그러다 문득, 나에게 로열젤리를 먹이기로 했다

한 8년 전 10월 어느 가을날, 친구와 아파트 대단지 지역을 걷고 있었다. 대형마트, 영화관, 백화점이 있는 번화가였는데, 길가에는 계획도시다운 작은 공원이 있었다. 호기심 많은 친구는 공원에 가보자 했고, 우리는 공원 탐험을 시작했다.

흐린 날이라 공원에는 스산한 기운이 있었고, 잎이 반정도 떨어진 나무들이 곳곳에 있었다. 친구는 풀밭은 돌아다니며 나뭇잎을 바라보다 낙엽사진을 찍기 시작했다. 그저 '가을이구나. 날이 추워지는 거 같다.'고만 생각하던 나는, 친구의 모습을 보며 주변 가을을 바라보게 되었다. 공원 나무는 붉거나 노랗게 물들어있었고, 그 아래는 떨어진지 얼마 안 된 붉고 노란 낙엽들이 쌓여 자연의 그림을 만들어가고 있었다. 몸은 쉬고 있었지만 마음은 그러지 못해 일상에 큰 감흥을 느끼지 못하고 있었는데, 오랜만에 '가을도 알록달록 참으로 예쁘다.'는 생각이 들었다. 그 순간이 반갑고 계속 가을을 느끼고 싶어, 붉고 노란 잎 몇 개를 골라 주워갔다.

집에 돌아와 나중에 잎들을 잘 보관해서 봐야지 생각하며 책상 한구석에 잎들을 놓아두었다. 다른 일을 신경 쓰느라 잎들을 잊고 있다가 수일이 지났고, 문득 알록달록 잎들이 생각나 보고 싶은 마음에 책상으로 향했다. 그런데 이럴 수가... 거기엔 알록달록한 잎들은 사라지고 말라버린 갈색 잎만 있을 뿐이었다.

"......"

나는 순간 어떻게 된 일인지 몰라 멍하니 잎들을 바라보았다. 그리고 낙엽이 변한다는 사실을 생각하지 못했다는 걸 깨달았다. 나무에 달린 잎이나 꽃들이 변하는 건 익숙히 보아 알고 있었는데, 순간 별생각 없이 떨어진 잎들은 계속 붉고 노랗게 있어 줄 거라고 여겼던 거다.

놀랐다. 그리고 그때 새삼 인식하게 되었다. 변하여 떨어진 것도 더 변할 수 있다는 사실을. 그것 역시 지금이 아니면 사라질 수 있다는 것을.

찬란히 피어나는 것들은 저물 수 있음을 예상하고 마음의 준비를 하게 된다. 하지만, 그렇지 못한 것들이나 저문 이후의 것들은 그 이후에도 저물 수 있다고 쉬이 생각하지 못하는 거 같다. 그러나 어떤 것이건 모든 것은 저물 수 있다. 아름답게 피었던 꽃이든, 제대로 피지 못한 꽃이든, 피고 떨어진 꽃이든 말이다.

그런 것들을 더 잘 돌보고 관리해야 하는구나란 생각도 들었다. 내가 낙엽들을 바로 책 사이에 끼워두었다면 오래오래 빛을 잃지 않고 그 모습을 유지했을 것이다.

이후 수년이 지나, 바쁜 생활에 밀려 나중에 써야지 하는 글감들이 쌓이고 하고 싶던 것들을 손대지 못하고 있을 때 이 일이 생각났다. 의미 있고 좋다고 생각했던 것들도, 언제나 생생할 것이라 생각했던 것들도, 시간이 지나면 낙엽처럼 될 수 있을지 모른다는 생각이 들었다.

몇 년 전부터 호기심이 가는 것이 있으면 시도해보려 하고, 생각나는 것들은 메모장에 적어보며, 부족하지만 나름의 방식으로 손 놓지 않고 내가 좋아하는 것을 찾아

가려 하고 있다. 요즘은 예전의 글감들을 정리하고 있는
데, 이것들이 말라버린 갈색 잎이 아니라 알록달록한 잎
으로 남기를 바라는 마음이다.

　하고 싶은 것을 하는 것은 인생에 의미 있고 중요한
일일 것이다. 나뿐만 아니라 모두가 그런 것들을 찾을
수 있기를, 찾았다면 그 순간에 생생하게 할 수 있기를,
그래서 바래지 않고 오래 그 빛을 유지할 수 있기를 바
라본다.

옷,
하나의
도구

얼마 전 한 웹툰 작가 이런 말을 했다. "옷은 많아요, 많은데...(중략)...좀 더 망망대해를 보고 가기 때문에 지금 양말에 구멍이 뚫렸는지는 중요하지 않은 느낌. 내가 생각한 목표를 생각하니까 사사로운 것에 대해서 굳이 에너지 안 쓰고, 그림 그리고, 일하는 게 더 재밌어요."

그의 말에 커다란 공감과 반가움을 느꼈다. 내가 그처럼 한 분야에 눈에 띄는 업적을 남기는 사람은 아니지만, 패션이나 살림 같은 분야에 무딘 사람을 대변해 주는 거 같아 힘이 되었다. 물론 그것이 전반적인 삶의 태도에 대한 이야기였지만, '옷'에 대한 내용이 들어가니 와닿았던 거 같다.

난 옷이나 패션에 관심 있는 편이 아니었고, 지금도 그리 잘 입고 다니지도, 조예가 깊지도 않다. 다만 30대를 지나며 그 분야를 조금은 이해하게 된 거 같긴 하다. 나이가 들면서 모르는 것을 알게도 되고, 문득 깨닫게 되는 순간이 있는데, 나에게 패션이 그중 하나이다.

난 어릴 때 옷을 사달라고 한 적이 거의 없다. 옷에 관심이 없어서 일수도, 집에 돈이 없다고 하니 사달라고 할 수 없어서인 거도 같다. 생각나는 건 초등학교와 고등학교 때 두 번 정도이다.

초등학교 저학년 때, 교회 수련회에 흰 티를 입고 오라고 했는데 마땅한 옷이 없어서 안 가겠다며 평소와 다르게 때를 부린 적이 있다. 다들 흰 티를 입는데 나만 다른 색 옷을 입고 가면 창피할 거 같았고, 가뜩이나 조용한 내가 그런 식으로 튀는 게 싫었던 거 같다. 엄마는 결국 시장에서 흰 티를 사 오셨고, 난 그 옷을 갖고 조금 늦게 수련회에 가게 되었다. 하지만 어렵게 입고 간 흰 티는 별 쓰임새가 없었고, 엄마에게 미안해져 이후에는 그런 요구를 하지 않았던 거 같다.

두 번째는 고등학교 교복을 맞출 때인데, 교복 코트를 교복과 같은 브랜드로 사달라고 했다. 엄마는 코트는 다른 교복사에서 사거나 다른 옷을 입어도 된다고 했지만, 그러면 나만 눈에 띌 거 같아 싫었고 다른 브랜드는 왠지 질이 떨어져 초라해 보일 거 같단 생각을 했던 거 같다. 옷에 대해 잘 알지 못했는데, 수년간 옷을 사달라고 한 적이 없어 보상심리로 더 그랬던 거 같다. 하지만 값이 꽤 나갔던 교복 코트는 입을 일이 많지 않았고, 옷을 사달라고 한 자책감과 엄마에게 미안한 마음이 코트의 무거운 무게만큼 고등학교 시절 내내 남겨져 있었다.

옷이 많지 않았지만, 사람을 만나는 일도 적고 언니가 입지 않는 옷을 주거나 친구들이 옷을 주기도 해서 크게 불편함을 느끼지 못했던 거 같다. 직장생활을 시작하며 몇 벌을 구매하긴 했지만, 여전히 있던 것 중에서 무난해 보이는 것들을 돌려가며 입었다. 나도 옷을 잘 고를 수 있고 잘 입고 다닐 수 있다면 좋겠다 싶었지만, 그런 능력이 갑자기 생기는 것도 아니어서 큰 관심을 가지지 않은 채 지냈던 거 같다.

옷을 좋아하고 감각 있는 사람에게는 쇼핑이 재미였을 텐데, 나에겐 곤혹이었다. 그리고 사람들이 패션에 열광하는 것을 잘 이해하지 못했다. TV쇼에서 멋지게 옷을 입고 변신하는 모습이 재미있고 감동적이긴 했다. 하지만 일상생활에서 입기 어려운 옷이 패션쇼에 나오고, 그것들을 감탄하며 보는 모습은 이해가 되지 않았다. 그저 독특해 보이고 싶고 특별해 보이고 싶어서 그러는 거란 생각이 들었으니까. 나에게 진짜 패션은 일상에서 입을 수 있는 옷이었다.

그러다 동호회에서 사람들을 만나며 장롱 속에 보관만 하던 원피스를 입기 시작했는데, 붉은색, 파란색, 노란색 등 다채로운 색상에 시폰같이 샤랄라 한 디자인도 있었다. 그때 나도 이런 옷을 입을 수 있고 어울릴 수 있다는 걸 알게 되어 재미있었고, 옷에 조금은 관심을 가지게 되었다.

그런 어느 날 옷장을 둘러보는데 색감이 눈에 들어오기 시작했다. 그중 파란색이 많이 눈에 띄었는데, 색감이 느껴지는 게 신기해 "옷에 파란색이 많다."고 했더니 언니가 갑자기 "그건 내가 파란색을 좋아해서야."라고 대답했다. 친구가 준 옷에 눈에 띄는 파란색이 많았고, 틀린 말은 아닐 수도 있지만, 내 옷장에 대해 얘기하는데 자신의 취향이 파란색이라는 말이 이상하게 불편하게 다가오기도 했다.

동호회 활동을 마무리하고 다시 학교에서 공부를 하던 때, 어느 순간 입는 옷과 옷을 고를 때의 심리적 변화를 감지하게 되었다. 동호회 활동을 할 때는 밝게 입는 세 자연스러웠고 검은색 계열에는 손이 잘 가지 않았는데, 학교생활을 다시 시작하면서 색이 있는 옷에는 손이 잘 가지 않았고, 남색, 회색, 검은색의 옷이 편안하게 느껴졌다. 화려한 색상의 옷을 입으며 나를 드러내고 싶지도 않았고, 그런 옷이 나에게 어울리지 않는다고 느껴졌다.

그때 예전에 보고 들었던 색의 영향력과 특징이 문득 떠올랐다. 색에 따라 기분이 달라지고, 감정에 따라 좋아하는 색이 바뀐다는 내용이었던 거 같다. 들을 때는 신기했지만 나와 별 상관없는 이야기라 여겼는데, 어느 순간 내가 그것을 경험하고 있었던 거다. 기분 좋을 땐 밝은 옷을 선뜻 입었는데, 마음이 좋지 않을 땐 나도 모르게 어두운 계열의 옷을 입고 있었다. 그렇게 난 옷이 그 사람의 감정 상태를 나타낼 수도 있다는 걸 체험으로 깨닫게 되었다.

그 후에는 내가 어떤 옷을 고르는가를 보고 나의 마음 상태를 돌아보기도 한다. 밝은 옷을 입을 땐, '그래도 지금 마음이 괜찮구나.' 깨닫기도 하고, 어두운 옷을 입으면, '지금 마음이 힘들구나.'를 알아차리기도 한다.

이후 자신을 표현하는 것에 관심을 가지게 되면서, 사람들이 그림, 글, 노래, 춤, 시, 악기, 연기 등 다양한 방식으로 자신의 생각이나 감정을 표현하고 있다는 걸 깨닫던 때였다. 나에게 맞는 표현 방식을 고민하고 나를 설레게 했던 것들을 생각해 보다가 마음에 드는 옷을 입고 다닐 때의 설렘이 스쳐 지나갔고, 기분에 따라 옷을 다르게 골랐던 일이 생각났다. 그 순간 옷이 그 사람을 나타내는 방식이 될 수 있고, 표현의 도구가 될 수 있다는 걸 깨닫게 되었다.

그 순간, 이해되지 않았던 수많은 사람들의 의상과 행동이 이해되기 시작했다. 오뜨쿠티르 패션쇼, 레이디 가가 같은 TV 속 연예인들의 의상, 아티스트들의 의상 등. 그들은 옷이라는 언어로 자신의 생각과 감정을 온몸으로 나타내고 있었던 거였다. 옷을 그저 몸을 가리고 사회적 상황에 맞춰 입는 도구로만 보는 게 아니라, 자신이 캔버스가 되어 생각과 감정을 표현하는 도구로 사용하고 있었던 거였다. 나는 다시 한번, 사람들의 표현방식에 놀라움을 느꼈다.

이후 작은 변화가 생겼다. 독특하게 입는 의상을 보면 어떤 감정과 생각을 담은 걸까 궁금해하기도 했고, 니의 취향과 다르더라도 자신을 표현하는 게 멋있게 느껴졌다. '프레따포르떼'보다 '오뜨쿠띠르'의 옷이 조금 더 재밌게 느껴졌고, 패션쇼가 전시회처럼 보였다. 예전에는 옷을 선물 받으면 언젠가 입을 수 있고 새 옷이라 마냥 좋았는데, 장롱의 공간이 좁아지지 않게 취향에 맞는 옷을 줄 때 더 고맙게 느껴졌다. 색감 있던 옷을 입던 사람이 무채색 옷만 입거나, 아니면 무채색만 입던 사람이 색감 있는 옷을 입으면 심경이나 일신상의 변화가 생겼나 생각해 보게도 됐다.

이후 난 자연스럽게 내 손으로 옷을 사게 되었다. 마음이 가는 옷이 있으면 과감히 구매도 하고, 어울릴 때의 기쁨을 맛보기도 한다. 하지만 그렇다고 엄청 특이한 옷을 사거나 계속 옷을 사는 건 아니다. 여전히 있는 옷들을 돌려 입고 있으며, 마음이 갈 때 옷을 사는 정도이다. 하지만 분명 전과 다른 건, 나의 마음에 들어오는 것을 중요하게 여긴다는 것과 내가 산 옷을 입을 때 나를 나타나는 거 같아 뿌듯함을 느낀다는 것이다.

옷을 보는 시각이 하나 달라졌을 뿐이지만, 일상에 소소한 변화들이 생긴 거 같다. 입고 있는 옷을 통해 나나 다른 사람의 마음을 알아보기도 하고, 옷을 사면서 내가 나를 어떻게 정의하는지 생각하기도 하고, 예전에 이해하지 못하던 모습을 새롭게 보게 되었으니 말이다.

잠시, 수많은 생각들이 바뀌고 깨달아진다면 나의 삶이 얼마나 더 커지고 새로워질 수 있을까 생각해 본다.

지금 나의 옷장에는 예전에는 볼 수 없던 녹색계열의 옷이 생겼고, 단색의 원피스가 많아졌다. 색보다는 형태에서 여성스러움을 느끼게 해 주고, 편하게 입을 수 있는 길고 풍성한 치마가 늘었다. 무늬 없는 흰색 상의가 많아졌고, 좋아하는 앙리 마티즈 스타일의 프린트가 새겨진 옷도 생겼다. 겨울옷도 검은 것보다 색감 있는 옷이 많은 비중을 차지하고 있다.

내일 외출 때 무엇을 입고 갈까? 나를 표현하고 어쩌고 하는 복잡한 생각으로 고르기보다, 있는 옷 중에서 괜찮은 것을 골라 입을 가능성이 높다. 그래도 이제 나의 옷장에는 내가 선택한 옷들이 더 많으니, 여유를 갖고 마음에 드는 걸 천천히 걸쳐보아야겠다.

이터널
선샤인

그러다 문득, 나에게 로열젤리를 먹이기로 했다

살면서 누군가를 만나고 헤어지기도 한다. 어떤 헤어짐은 스르륵 별 흔적 없이 지나가지만, 어떤 것은 난간에 매달려 손가락에 피가 나듯 아프게 지나간다. 어떤 것은 알지 못하게 순식간에 지나가고, 어떤 것은 수년이 걸리기도 한다. 모든 헤어짐이 아픔 없이 스르륵 빨리 지나가면 좋으련만, 그렇지 않은 때가 생기기도 한다. 나에게도 그렇지 않은 때가 있었다.

당시 난 그 상황을 이해하고 받아들이려고, 끊임없이 복기하며 질문했다. '왜 그렇게 된 걸까, 그때 다르게 말했다면 상황이 달라졌을까, 그 말은 그 표정은 무슨 의미였지, 내가 모르는 무슨 일이 있었던 걸까.' 그렇게 그 자리를 뱅뱅 맴돌았다.

하지만 난 결국 내 입장의 단편적 사실만 알고 있는 것이기에 모든 것을 이해할 수 없었다. 심장은 까맣게 타버리고 구멍 난 곳에서 피가 흘러내리는 거 같았다. 답이 나오지 않는 질문과 상황을 반복하며 뇌가 녹아내리는 거 같았다. 시간이 지나면 나아진다는데, 한참이 흘러도 아픔은 흐려지지 않는 거 같았고, 언제 끝날지 모르는 그 아픔 속에서 하염없이 시간을 보냈던 거 같다.

그때 난 고통이 없어지게 기억이 사라지면 좋겠다고 생각했다. 충격적인 일을 겪으면 기억을 하지 못한다고 하는데, 그게 나을 거 같았다. 그러면 그렇게 아프지 않을 것이고, 그 무엇도 제대로 하지 못한 채 괴로움 속에 있지 않아도 될 거였다. 좋은 것도 기억 못 할 수 있지만, 언제 끝날지 모르는 고통을 계속 느끼는 거보다는 나을 거 같았다. 리셋되듯 새롭게 다시 나의 삶을 시작할 수 있을 거 같았다. 하지만 기억은 없어지지 않았고 깨어있는 동안 계속 나를 괴롭게 했다.

한참의 시간이 지나 끝이 보이지 않던 거대한 감정의 파도가 서서히 줄어드는 시간이 찾아왔다. 반복해서 그 일들을 되새기다 보니 객관적으로 상황을 판단하게 되었고, 나와 상대, 그리고 당시의 상황이 정리되었다. 그리고 그때 이어지지 않아 정말 다행이라 여기게 되었다.

그렇지 않았으면 감당하기 어려운 인생의 파국이 있었을 거라 느껴졌다. 진심으로 다행이었고 그렇게 된 것에 감사했다.

그리고 어느 순간 그때와 관련된 것을 마주치거나 떠올려도 심장이 '덜커덕' 하지 않게 되었다. 선물 같은 순간이었다. 나는 점차 전처럼 영화도 보고, 새로운 것에 관심도 갖고, 앞으로 있을 새로운 가능성에도 마음을 열어두며 지냈다. 하지만 여전히 그때의 아픔은 가혹하게 여겨졌고, 그 속에서 보낸 시간이 안타깝고 아쉬웠다.

그러다 이터널 선샤인이라는 영화를 보게 되었다. 영화소개 프로나 주변에서 괜찮은 영화라는 이야기를 많이 들었지만, 이상하게 쉬이 보게 되지 않던 영화였다. 내용도 궁금하고 나의 문화적·지적 수준도 향상시키고자, 마음먹고 보았다.

(이후 영화에 대한 스포가 있음)

이터널 선샤인에는 짐 캐리(조엘)와 케이트 윈슬렛(클레멘타인)이 나오는데, 조엘이 클레멘타인과 헤어진 후 이별의 아픔을 잊으려 기억을 지우는 회사에서 클레멘타인의 기억을 지우게 된다. 이후 다시 평온한 일상을 찾은 듯한 조엘. 하지만 그는 다시 클레멘타인을 만나 사랑을 시작하게 된다. 이게 영화의 전체적인 내용이었다.

영화를 다 보았는데, 찜찜했다. 예전 일들이 떠오르며 이런저런 생각을 하게 만들었다.

그 영화가 무엇을 말하고 싶었는지, 다른 사람들은 무엇을 느꼈는지는 모르겠다. 아니, 생각하고 싶은 마음도 들지 않았다. 연인과 헤어짐을 고민하는 사람들에게는, 결국 헤어져도 상대는 다시 사랑하게 될 사람이란 메시지를 주며, 연인을 인연으로 다시 바라보게 해주는 영화였을 수도 있다. 하지만 나에게는 그렇지 않았다.

'영화대로라면, 자신과 맞지 않거나 아니면 쓰레기 같은 누군가에게 마음을 주었다가 천만다행으로 멀어졌는데 다시 그 사람에게 매력을 느끼고 만나게 된다고? 그렇게 불행할 결말이 이미 세팅되어 있었다는 건가?'란 생각이 들었다. 끔찍했다. 최소한 당시의 내겐 아름답지 않은 결말이었다.

그러다 문득, 예전에 힘들었음에도 기억을 잊지 않은 이유를 알게 되었다. 그건 다시는 그런 일을 반복하지 않기

위함이었다.

만일 원하는 대로 기억을 하지 못하게 됐다면, 비슷한 생각과 시각을 갖은 채 영화처럼 다시 비슷한 사람을 만나 억지 연을 이어가려고 했을지 모른다. 그러면 남은 생에 비슷한 실수를 반복할 가능성이 높았을 것이다. 하지만 아픈 시간을 보내고 기억함으로써, 그것들은 나를 위한 경험이자 자료가 되었다.

돌아보면, 그일 이후 나는 내게 숨겨져 있던 '그는 다른 사람과는 다르게 나를 대할 거야. 나를 통해 상대가 성공적으로 변할 수 있을 거야'라는 근본 없는 허세와 오만을 알아차리게 되었고, 그런 생각을 조심하게 되었다.

감정의 소용돌이에 빠지면 상대의 의심되는 모습을 보아도 애써 이해하고 넘기고 싶어 하지만, 결국 그것은 의심스러운 결과로 나타나니 신중히 판단해야 한다는 것도 알게되었다. '다른 사람한테는 말하지 말고' 같은 이해 안 되는 말을 하거나, 이해되지 않는 행동을 말로 이해시키려는 것은, 순간을 모면하고 이득을 취하려는 수작일 수 있음도 제대로 인지하게 되었다.

상대가 나를 소중히 대하는 것을 내가 느끼고 있는지가 중요하고, 인연을 이어가는 건 서로 노력해야 하는 것임을 알게 되었다. 한 사람만 노력하는 것은, 거기까지인 인연이니 받아들이고 억지로 이으려 하면 안 된다는 것을.

아팠지만 기억을 잃지 않은 덕에 그래도 조금 나은 시선과 방향을 갖고, 같은 일이 반복되지 않게 조심하며, 전보다는 나은 시간을 보낼 수 있었던 거 같다. 그리고 그 결과를 조금은 잘 받아들이게 된 거 같다.

누구도 아프길 원하지 않을 것이다. 나 역시 그러하다. 하지만 우리 모두는 살다가 어떤 이유로든 아픔을 겪을 수 있다. 혹여 그런 일이 있더라도 그 아픔이 크지 않기를, 그리고 빨리 회복되기를 바랄 뿐이다. 그리고 그것이 삶을 파괴시키는 매체가 아니라, 좀 더 나은 삶으로 나아가게 하는 이정표가 되고, 삶을 아름답게 피어나게 하는 양분이 되기를 또한 바라본다.

'도깨비'의

칼

뽑기

'도깨비'라는 드라마를 본 적이 있다. TV 채널을 돌리는데, 공유와 이동욱이 어두운 밤 터널을 지나는 실루엣이 나오는 장면이 너무 멋있어서 빠지게 되었다. 그때는 몰랐다. 이 드라마가 나의 인생 드라마 중 하나가 될지.

'도깨비'는 공유가 분한 김신이라는 인물이 나오는데, 그는 가슴에 칼이 꽂힌 채 도깨비로 900년을 살고 있었다. 김신은 고려 시대 장군일 때 간신에 휘둘리는 어린 왕의 질투로 가슴에 칼을 받고 죽임을 당하게 되었고, 너무나 억울했던 그는 하늘에 기도해 죽지 않고 가슴에 칼을 꽂은 채 도깨비가 되어 살게 된 것이다. 도깨비 신부가 가슴의 칼을 뽑아주면 '무'로 돌아갈 수 있는데, 오랜 세월 홀로 이별을 경험하며 살던 도깨비는 칼을 뽑기 위해 신부를 찾는다는 내용이었다.

드라마의 스토리, 인물, 연출 모든 것이 좋았고, 드라마는 흥행에 성공했다. 드라마를 잘 보지 않던 내가, 스스로 놀랄 정도로 드라마에 빠져 본방을 사수할 정도였으니까 말이다.

'도깨비' 드라마에 빠진 건 재미있기도 해서였지만, 개인적인 바람이 있어서이기도 했다. '나도 누군가 내 심장에 꽂힌 칼을 뽑아주었으면 좋겠다.'는 바람이었다. 나의 심장에 답답하게 꽂힌, 그래서 계속 나를 괴롭히는 이 칼을 누군가 뽑아주었으면 했다. 그러면 얼마나 좋을까, 얼마나 시원할까 생각했다.

내가 뽑고 싶던 내 심장에 박혀있던 칼은, 바로 아버지였다.

당시 난 부모님과 함께 살고 있었지만, 수년간 아빠와 말하지도 보지도 않고 있었다. 아빠를 없는 사람으로 취급했다. 처음부터 그랬던 건 아니다. 아버지와 난 그래도 사이가 나쁘지는 않은 편이었다. '아빠가 다른 사람은 몰라도 나는 귀히 여겨줄 것이다.'라는 근거 없는 미신 같은 믿음을 갖고 있을 때까지는 말이다. 그런데 그 믿음이 무너지는 일이 발생하는 순간, 난 그를 더 이상 아버지라고 보지도 않았고, 존재하는 인간으로 보고 싶지 않았다. 내가 가장 힘든 시기에 아버지는 잘못된 행동을 했고, 그간 내가 애써 외면하고 버텨왔던 아버지의 모습을 보게 되어버린 것이다. 과거 경험들이 조각처럼 이어 붙여져, 겨우 유지하던 아버지에 대한 환상을 부숴주었다. 난 그를 보고 싶지 않았고, 다행인지 아버지는 주로 방에서 생활해 마주칠 일이 없었다.

그렇게 다른 이들에게 말 못 하는 그런 삶이 지속되었다. 웃고 있을 때도 늘 마음의 무거운 짐이었다. 이 일은 거친 쇳덩이가 되어 심장과 영혼 어딘가에 박혀 덜커덕거리며 나를 찔렀다. 아버지를 존재하지 않는 존재로 보았지만 버려지지 않고 쇳덩이가 되었던 건 어릴 적 아버지에게 가진 환상에 대한 미련과 남아있는 마음 때문이었으리라. 나의 마음이 그리 모질지 못해서였으리라. 여전히 좋았던 모습을 알고 기억해서 그러했으리라. 하지만 한번 끊어버린 마음은 다시 붙이기 힘들었고, 붙이고 싶지도 않았다.

그런 상태로 6년을 보냈다. 겨우 다시 웃는 일이 있어도, 어쩌다 누군가를 만나도, 내 심장에는 아주 굳게 그것이 박혀있어 마음껏 기쁘지 못했고 무겁고 답답했다.

그러다 '도깨비'를 보게 되었고, 빠져들 수밖에 없었다. 드라마가 끝난 후에도, 누군가가 내 심장의 칼을 뽑아주었으면 좋겠다고 생각했다.

그렇게 또 시간이 흘렀고, 아버지와 그렇게 지낸 지 7여 년 정도가 되었다. 특별한 것 없던 어느 날, 문득 드라마 속에서 놓친 부분을 깨닫게 되었다.

칼은 도깨비 스스로가 뽑았다는 것을.

도깨비가 신부의 도움을 받긴 했지만, 자신의 손으로 그 칼을 뺐던 거였다. 생각해 보니 특별한 사건이 없었 더라도 도깨비는 신부에게 자신의 칼을 뽑아달라고 하지 않 았을 거 같았다. 칼을 뽑아 도깨비가 죽으면 신부가 자책하 게 될 것이기에, 도깨비는 애초에 그런 일을 시키지도 않았 을 거였다.

'그래 그랬구나 그랬었구나...'

그때 알게 되었다. 자기 심장에 꽂힌 칼은 스스로 뽑 아야 한다는 걸.

'내 심장에 박힌 칼은 스스로 뽑아야겠다. 누군가의 도 움을 받을 수 있지만 내가 뽑아내야겠다. 그러면 정말 뽑아낼 수도 있고, 뽑아줄 누군가를 기다리며 고통스러 운 시간을 보내지 않을 수 있겠다. 칼이 뽑히면 좋겠다.' 는 생각들을 했다.

언젠가부터 아버지가 거실에 나와 TV를 보는 모습이 종종 목격되었다. 어느 날, 아버지가 아무렇지 않게 바둑 채널을 보고 있었는데 더는 참고 싶지 않았다. 못 본척하고 싶지 않았다. 이러다가 계속 바둑 채널을 아무렇지 않게 나와 볼 거 같았다. 나에겐 그 모습이 고통이었다. 예전의 안 좋은 기억을 떠올리게 하는 자극이었다. 그리고 아빠와의 시간이 얼마 남지 않았다는 것도 알고 있었던 거 같다. 그래서 더는 시간을 그냥 보내고 싶지 않았다.

난 참지 않고 "어떻게 여기서 바둑티브이를 볼 수 있어!"라며 화를 냈고, 그렇게 내 심장의 도깨비 칼 뽑기는 시작되었다.

아주 크게 아버지와 싸웠고, 이후에도 아빠와는 부딪히는 일이 있었다. 난 그냥 넘어가지 않고, 화내며 말하기 시작했다. 이대로는 안된다는 것을 알았기 때문이다. 이 상황이 어떻게 끝날지는 모르지만, 여기서 멈추면 안된다고 생각했다. 잘 되기를 바라지만, 끝이 어떨지 몰라 두렵기도 했다. 하지만 해보기로 했다.

그렇게 아침, 저녁, 평일, 주말, 때때로 크게 혹은 덜 크게 부딪히며, 언제 어떻게 부딪힐지 모르는 긴장 속의 시간을 보냈다.

2달 정도 지났을까, 어느 날 아빠가 이야기하자고 했고, 식탁에 엄마, 아빠, 나 셋이 앉았다.

'무슨 이야기를 하려고 하는가. 진심 아닌 이야기를 다 필요 없다.'는 생각도 들었고, 차라리 대결하는 것이 익숙해져 얘기를 듣고 싶지 않은 마음도 들었다. 그래도 혹시나 하는 마음으로, 어색하지만 자리에 앉았다. 하지만 부러 크게 기대하지는 않았다.

아빠는 뭔가 결심한 듯이 이야기했다.

"미안하다."고...

처음에는 '그냥 순간을 넘어가려는 말인가' 하는 걱정과 의심을 참으며 어색하게 겨우 앉아있었다. 하지만 점점 진심으로 사과하는 게 느껴지기 시작했다.

그래도 쉬이 받아들일 수 없었다. 수년, 아니 수십 년이었다. 그런 생활들이. 쌓여왔던 것들이. 그것들이 어찌 쉬이 변할까. 인간이란 그런 섯이고, 쉬이 믿으면 내가 다시 다친다는 것을 알기에 마음 주지 않고 경계태세를 유지했다. 하지만 마음 한구석 믿고 싶기도 했다. 그래야 내 마음의 평안이 올 수 있을 것이란 걸 아니까. 결국 그 말의 진심은 시간이 보여줄 것이라 생각하고, 상황을 지켜보았다.

이후 아빠는 집에서 바둑 채널을 보지 않았고, 담배를 피우지 않았다. 그리고 뭔가 기운이 빠진듯한 모습이 보이기도 했다. 시간이 흐르며 아버지의 행동을 보는데 그 말이 진심이었다는 것을, 그리고 아버지가 행동으로 마음을 이야기하고 있다는 것을 알게 되었다.

어느 순간, 아빠가 진심이라는 것이 내 마음에 들어왔다. 그리고 아빠가 그렇게 해주셨는데 나도 용기를 내야지 하며, 먼저 식사를 하러 가자 하기도 여행을 가자고도 했다.

그렇게 박혀있던 아빠와의 관계의 칼을 나는, 아니 우리는 조금씩 뽑을 수 있었다.

그리고 3년 후, 몸이 많이 약해진 아빠는 갑작스레 하늘나라로 가게 되었다.

시간이 지나 그때를 돌아본다.

그때도 그랬지만 아빠에게 참 고맙다. 그러기 쉽지 않은데 아빠는 용기를 내어주셨다. 만약 그때 아빠가 그렇게 사과해 주지 않았다면, 난 아마 정말 회복되기 힘들었을 것이다. 상처가 박혀 평생 아프고 고통스러웠을지 모른다. 그리고 그렇게 사과하는 사람이 많지 않다는 것도 안다. 그런 경우가 정말 드물다는 것도.

그래서 더 아빠에게 고마웠다. 아빠가 자신을 버리고 나를 받아준 것이라는 생각이 들었다. 그렇게 자존심 강한 분이 말이다. 나라면 그럴 수 있었을까 생각했는데, 정말 쉽지 않을 것이란 생각이 들었다.

아빠도 이 세상의 삶이 녹록지 않았을 것이다. 한참을 버티며 사셨을 것이다. 그런 아빠에게 가족으로서 참 고마웠다.

아빠는 지금 어떤 모습일지, 어떻게 지내실지. 아마 돌아가실 때의 모습처럼 하늘나라에서 행복하고 평안하게, 마음껏 자신의 마음을 별치며 시내고 계실 것이다. 언젠가 그런 아빠의 모습을 다시 반갑게 기쁘게 볼 수 있기를 바라고 있다.

　아빠 고마워요.

회사원이라는

히어로

오랫동안 휴식의 시간을 보내다, 잠시 6개월간 계약직으로 일하게 된 때였다. 새로운 곳에서 해보지 않은 일을 맡아서 하다 보니, 하루하루 어떻게 지내는지 모르게 버티듯 보내고 있었다.

그렇게 매일 버스와 전철을 타고 서울로 출근을 하던 어느 날이었다. 지하철역에는 여느 날과 다름없이 안내 방송과 전철 소리, 그리고 가끔 옆을 지나는 자동차 소리가 들렸다. 플랫폼에는 문 열리는 위치에 맞춰 사람들이 두 줄로 서 전철을 기다리고 있었다. 전철이 도착하자 그들은 이미 승차한 사람들이 가득한 속으로 들어가 무표정하게 자리를 잡고 서있는다. 매일 보는 풍경이었다.

전철 안은 매일 그저 그렇게 스쳐 지나가는 모습의 사람들로 가득했다. 비슷한 양복바지에 셔츠, 세미 정장에 구두, 운동화에 안경, 백팩이나 크로스백, 휴대폰을 보거나 음악을 듣는 사람들이 있었다.

그런데 갑자기 그들이 자신의 윤곽을 따라 경계가 선명해지더니, 하나하나의 사람으로 보이기 시작했다. 그리고 지하철에서 내려 각자의 회사로 들어가 무슨 일인가를 하는 사람들이란 생각이 들었다. 회사에서 어떤 일을 시키면, 어떻게 해야 하는지 몰라도 결국 해내고 마는 사람들인 거겠지란 생각이 들었다.

능력자들...!

'회사원'이라는 무채색의 이름으로 불리며 비슷한 옷을 입고 컴퓨터 앞에서 키보드를 두드리는, 점심시간과 퇴근시간을 기다리는, 너무나 평범하고 특별할 것 없는 사람들로 보였지만 실은 그렇지 않았던 거다.

그렇다. 이들은 실은 능력을 숨기며 살고 있는 히어로들이었던 것이다.

그들은 프로그램 개발을 하는 사람, 학교에서 행정을 보는 사람, 무역회사에서 회계를 하는 사람, 연구개발을 하는 사람, 디자이너로 그림을 그리는 사람, 은행에서 사무를 보는 사람, 중간관리자로 업무지시를 하는 사람 등 다양한 역할을 하는 존재였다. 평범한 복장과 표정을 하고, 누군가에게는 너무나 어려울 수 있는 일을 아무렇지 않게 해내는 사람인 거였다.

게다가 이들은 일만 하며 지내는 게 아니라 결혼도 하고 아이도 키우고 부모를 돌보기도 하고 취미생활을 하면서 살고 있는 존재기도 했다. 나는 지금 내 일 하나를 해나가기도 버거운데, 대단한 사람들이다 싶었다. 갑자기 이들이 위대해 보였다.

쉬며 지낼 때 그런 생각을 했었다. 이 세상에서 직업을 갖고 스스로 밥을 챙겨 먹고 결혼을 하고 집을 사고 자녀를 키우고 여행을 다니고 취미생활을 하며 사는 게 정말 대단한 일이고 특별하고 축복받은 것이라고. 물론 세상에 묻히고 쓸려 자신을 잃고 방황하는 사람들도 있겠지만, 많은 이들이 그 안에서 나름의 생활을 하고, 생각하고, 느끼고, 행동하며 살아내고 있는 대단하고 특별한 존재로 보였었다.

그런데 그런 카테고리에 있는 사람이 너무 많아 그들을 제대로 보지 못했고, 나 역시 그 속에서 정신없이 있느라 그런 사실을 잠시 잊고 있었던 거 같다.

그렇게 새삼 여기 전철의 사람들이, 회사의 사람들이 대단해 보였다. 그냥 히어로로 살아가는 것도 힘든데, 삶까지 동시에 살아내는 진정한 능력자들이란 생각이 들었다.

이들을 보며, 이런 사람들이 많아서 가정도 생기도 사람도 태어나고 일도 진행되며 세상이 굴러가고 있는 거겠지 싶었다. 그리고 이런 사람들 속에서 평범한 난 어찌해야 하나라는 생각이 들었다. 나도 잘하는 게 하나라도 있으면, 나도 남들처럼 잘 해낼 수 있다면, 남들보다 잘하는 게 있으면 좋겠다 싶었다.

그런데 전철 안 히어로들의 표정을 보면, 자신이 얼마나 대단한지 모르고 있는 거 같았다. 아마 내가 조금 전까지 그랬던 거처럼 아직 그들이 히어로인 줄 깨닫지 못한 것이리라.

나는 그들과 같은 히어로가 아니라 그들이 가진 것이 보였을지 모른다. 그러다 다시 문득 그게 나의 능력인가란 생각을 잠시 해보았다.

언젠가 나도 나만의 능력을 갖고 날아다니는 진짜 히어로가 되기를 바란다. 그렇게 자부심을 갖고 이 세상을 휠휠 날아다니면 좋겠다. 그리고 히어로인 당신들은 자신이 히어로임을 깨닫고 좀 더 행복해지길 바란다.

당신은 히어로예요!

맞지 않는

반찬 뚜껑

맞지 않는
반찬 뚜껑

그러다 문득, 나에게 로열젤리를 먹이기로 했다

새로운 직장에서 일 년 남짓 지났을 무렵, 불현듯 집에 있던 반찬통이 떠올랐다.

　통에 얼추 맞을 거 같은 파란 뚜껑을 집어 이리저리 닫으려 했지만 미세한 차이로 아귀가 맞지 않던 반찬통이었다. 뚜껑 한쪽 면의 홈을 먼저 통에 맞추고 그 옆의 홈을 차례차례 맞춰가며 눌러보았지만, 누르지 않은 남은 면들은 다시 들려졌다. 힘을 주어 한 번에 닫으면 고정될까 해서 네 면을 맞춘 후 뚜껑을 세게 눌러보았지만, 뚜껑은 '따닥'하고 잠시 맞는 듯하다가 이내 '투둑'하고 통에서 튕겨지듯 나왔다. 맞지 않는 뚜껑이었다. 하다 보면 맞지 않을까 싶어 한참을 이렇게도 저렇게도 해보며 닫으려 했지만 되지 않았다.

　그 모습이 나의 상황을 한 번에 보여주는 거 같이 느껴졌다. 입사 초기부터 그 직장과 업무가 내게 맞지 않는다고 느꼈지만, 어찌 보면 맞는 부분이 있는 거 같아 '혹시 내게 맞는 게 아닐까?' 하며 뚜껑을 돌려 맞추듯 하루하루 보냈다. '그래도 내가 해왔던 분야이니, 그래도 어느 정도 할 수 있는 일이니, 그래도 월급이 나오니, 그래도 아는 사람도 있으니, 별다른 대안이 없으니' 하며 말이다.

그렇게 뚜껑을 닫으려 애쓰느라 정작 신경 써야 할 내용물은 잘 보지 못했고, 통 안의 내용물이 수분을 잃고 조금씩 말라가듯 내 안의 무언가도 조금씩 말라가는 거 같았다. 나의 감정, 감각, 아이디어, 영혼 같은 것들이 말이다.

다시 몇 년의 시간이 지난 지금은 뚜껑을 맞추려고 애쓰지도 않고 그저 통 위에 얹어놔 버리게 된 거 같았다. 하루하루를 보내는 데 지쳐 일이 맞는지 생각조차 하고 싶지 않았던 거 같기도, 맞지 않는다는 것을 알아버려 맞추려고 애쓰지 않게 된 거 같기도 했다.

오랫동안 맞지 않는 통에 있는 바람에, 수분을 머금고 있어야 할 내용물이 말라비틀어져 버린 거 같아 슬프고 두렵기도 했다. 자연 속에 있을 때 다가오는 감정, 다른 이를 대할 때의 섬세함과 진솔함, 좋아하는 책을 읽고 싶어 하는 마음 같은 것들이 온전히 느껴지지 않는 거 같아서 말이다.

뚜껑을 닫으려고 다시 애써야 하는지, 통을 지금 바로 버리는 게 맞는지, 아직은 잘 모르겠고 용기도 없어, 당장 어떻게 해야 할지 모르겠는 요즘이다. 무엇이 옳은지, 어떻게 해야 할지, 고민의 시기가 온 거도 같다. 그렇지만 모르겠다며 고민만 하고 있는 건, 마치 맞지 않는 통을 바라보고만 있는 것과 같을 것이다. 그래서 오늘도 난 우선 할 수 있는 거를 해보기로 했다. 단 10줄이라도 글을 써보라는 응원에 힘입어서 말이다. 그러면서 통 안의 것이 모두 말라버린 건 아니라고, 조금씩 해내가며 오늘 스스로에게 힘을 주어 본다.

40대 중반, 여전히 이리 고민하고 있다는 게 안타깝기도 하고 다행스럽기도 하다.

난 여전히 맞는 통을 찾아 '철컥'하고 닫히는 쾌감을 느끼고 싶고, 맞는 통을 찾으면 다시 촉촉해질 수 있을 것이라 믿어본다.

사과와 귤은

같이

먹어야 한다

난 어렸을 때 귤을 좋아해서 겨울에 집에 귤 한 상자를 들여놓으면 며칠 만에 먹곤 했다. 얼마 전에도 엄마가 '넌 귤을 좋아해서 어렸을 때 손이 노래질 때까지 먹었어'라는 말씀을 하셨는데, 나 역시 어릴 때의 노래진 손바닥이 기억난다.

몇 해 전, 월급을 받고 큰맘 먹고 처음으로 귤 한 상자를 산 적이 있었다. 상자 단위의 과일은 선물 받거나 부모님이 사 오시는 거란 생각을 해서 산 적이 없는데, 내가 좋아하는 걸 크게 한 번 사볼까 하며 새로운 시도를 했던 거 같다. 하지만 커서는 어릴 때처럼 귤을 많이 먹지는 않아 잘 없어지지 않았다.

그즈음 친구가 선물로 사과를 보내줬다. 난 사과를 그리 좋아하지 않는 편인데, 친구가 보내준 사과의 맛이 궁금해

먹고 싶었다. 그때 엄마는 "네가 산 귤이 많이 있고 무르고 상하고 있어서, 귤을 먼저 먹고 사과를 나중에 먹기로 했어."라고 했다.

그런데 순간, '왜 내가 선물 받은 사과를 묵히고 나중에 말라비틀어져 맛없게 된 다음에 먹게 하자는 거지'란 생각이 들었다. '왜 그래야 하는 거지?, 왜 그런 순서로 해서 늘 맛없는 것을 먹는 방식을 취하려 하는가.' 싶었다.

난 엄마에게 "그래, 그럼 엄마는 그렇게 해. 난 내가 먹고 싶은 거 먹을거야."라 얘기했다. 엄마의 방식을 나에게까지 강요하지 말라고, 내가 하고 싶은 대로 나를 위해서 좋은 것을 먹겠다고 했다.

엄마는 그저 단순하게 오래된 것을 먼저 먹자고 이야기했을지 모른다. 그리고 과거의 나였다면, 엄마처럼 생각하고 그렇게 했을 것이고 엄마의 말에 '그렇구나' 하고 따랐을지 모른다. 하지만 그때의 나는 '내가 좋은 것', '나를 위한 것'을 중요하게 여기게 된 때였다. 그리고 최상의 가치일 때 최상의 것을 먹는 것. 그것이 나와 선물을 준 사람에 대한, 그리고 그 사과의 생에 대한 예우이고 바른 방법이란 생각이 들어 그럴 수 없었다. 그리고 그렇게 하고 싶지 않

있다.

난 사과를 꺼내 씻어 바로 먹었다. 시원하고 신선하고 사과향이 가득한 맛있는 사과였다.

난 좋은 것을 아끼고 나중에 먹거나, 다른 사람에게 좋은 것을 주고 나는 안 먹거나 갖지 않는 방식으로 살아왔다. 물론 만족지연이 가져다준 것도 많다. 스스로 절제하며 공부해서 좋은 성적을 얻을 수 있게 해주기도 했으니까. 그리고 다른 사람을 위하는 것도 기쁘게 느껴져 만족스러웠던 거 같다.

그런데 그런 것이 어느 순간 모든 것에 적용되어버렸다. 난 내게도 2순위였고, '난 괜찮아' 하며 내가 원하는 것을 미루고 잊으며 넘어가는 게 익숙하게 되었다. 언젠가 가질 수 있게 되겠지 라고 생각하며 말이다.

하지만 나이가 들며, 그 원칙이 모든 것에 적용되어서는 안되며 그 '언젠가'가 오지 않을 수도 있음을 점점 깨닫게 되었다. 한정된 시간과 재원 속에서 원하는 것과 좋아하는 것을 중요하게 여기며 우선시해야 하는 섯임을 알게 되었다. 10개의 음식이 있는데, 맛있는 것을 나중에 먹겠다고 아끼며 억지로 다른 것으로 배를 채우면 나중에 그토록 먹고 싶었던 음식도 맛있게 먹지 못할 수도 있는 것처럼 말이다.

'동시에 해야 함'도 깨달았다. 사과와 귤이 있을 때 하나의 과일을 다 먹고 나서 다른 것을 먹으면 나중에 먹는 것은 시들고 물러져 맛있게 먹을 수 없게 된다. 그러니 사과도 귤도 신선할 때, 내가 먹고 싶을 때 동시에 먹어야 하는 것이다. 그게 과일을 맛있게 먹는 방법이고, 신선한 영양소를 제공하는 과일의 중심 가치가 실현되는 것일 테니까.

일도 그런 것 같다. 내게 필요한 고요의 시간도, 해야 할 일을 하는 것도, 하고 싶은 것을 하는 것도, 청소하는 것도, 방을 치우는 것도, 책을 읽는 것도, 글을 쓰는 것도 모두 다 동시에 해야 하는구나 생각했다. 하나를 다 끝내고 해야지 하는 생각이 강했는데, 그 하나가 언제 끝날지 모르고, 모든 것에 다 때가 있는 것이니, 그 때에 맞춰서 해야 하는 것이구나 싶었다. 물론 이것 역시 우선시 해야할 것을 고려하며 상황에 맞춰면 되는 것일 테다.

얼마 전에 설 명절이었다. 그때 감사히도 지인들로부터

샤인머스캣, 사과, 배를 선물받았다. 그리고 모든 과일을 먹고 싶을 때 골라 신선하고 맛있게 먹었다. 지금은 서늘한 방 한켠에 망고를 후숙하고 있고, 냉장고에는 자몽과 반건조 홍시가 있다. 언제 어떤 과일이 먹고 싶을지 모르지만, 맛있게 먹게 되기를 기대한다.

사실

우리 모두는

초능력자

그러다 문득, 나에게 로열젤리를 먹이기로 했다

어릴 때부터 특별한 능력이 있으면 좋겠다고 생각한 거 같다. 초등학교 때 '란마 1/2'이라는 만화를 봤는데, 란마라는 남자 주인공은 찬물을 부으면 여자가 되고 따뜻한 물을 부으면 다시 남자가 되는 설정이었다. 내가 관심을 가졌던 건 무술 능력이었는데, 주인공들은 무술을 잘해서 거의 날아다닐 정도였고 나도 그런 능력이 있어서 멋지게 보이면 좋겠다는 상상을 했었다.

이후로도 슈퍼맨, X맨, 히어로즈, 점퍼 등 특별한 능력이 있는 주인공들을 보며 '나는 무슨 초능력이 있으면 좋을까', '내가 초능력이 있다면 무엇을 할까', '초능력을 갖고 어떻게 먹고살지', '비밀로 하고 살아야 하나' 등을 지치지 않고 상상했던 거 같다. 그런 때면 몇 시간이고 시간 가는 줄 몰랐다.

그러다 어느 순간 엄청난 능력을 가진 능력자에 대한 이야기에 시들해졌었다. 주인공처럼 능력이 없으니 동일시가 안 되었던 거다. 오히려 평범한 주변 인물들의 삶과 애환이 보이기 시작했고, 추풍낙엽처럼 죽어가는 비주인공들이 불쌍하고 동일시되어 히어로 영화를 잘 보지 않게 되었다. 그래서 많은 이들이 열광했던, 어쩌면 예전이라면 나 역시 열광했을, 해리 포터도 나에게 그리 큰 관심을 끌지 못했다.

그렇게 히어로류의 영화보다는 드라마류의 영화를 주로 보다가, 어쩌다 닥터 스트레인지라는 영화를 보게 되었다. 그 역시 특별한 능력이 있어 동일시되기는 어려운 주인공이었지만, 좋아하는 류의 능력과 스토리라 재밌게 봤던 거 같다. 하지만 영화는 영화일 뿐, 초능력에 대한 상상은 하지 않았다. 어차피 초능력은 있을 수 없는 거니까 하며. 그저 영화로써 오랜만에 히어로물을 재밌게 봤을 뿐이었다. 그때, 내가 더 이상의 초능력에 대한 상상은 하지 않게 되었구나 싶었다.

그리고 난 회사 생활을 계속하고 있었다. 시간이 지나며 조직의 인원이 늘어났고, 2개의 팀이 생겼다. 그리고 그중 연차가 다른 사람보다 많고 관련 자격증이 있어 '선임'이라는 직책을 갖고 팀을 맡게 되었다.

부담이었다. 난 그런 직책에 어울리는 인간형이 아니었다. 난 사람과 어울리는 걸 잘 하지 못하고 낯가리는 성격, 먼저 하자고 나가서 이끌기보다 따라가는 성격, 나서는 거 좋아하지 않고 3명 이상이면 집단이라 느껴져 불편함을 느끼는 아주 극단적인 내향인이었다. 어릴 때부터 반장, 부반장 같은 것에 전혀 관심 없었던, 정말 조용한 인간이었다. 하지만 어쩌겠는가. 그렇게 되어버린걸...

뭐가 뭔지 모르고 시작하게 된 역할이었고, 그렇게 또 몇 달의 시간이 지났던 거 같다.

성격상 뭔가를 시키는 것도 못하고, 결정하거나 방향을 잡는 것도 익숙지 않고, 혹여 내 직책으로 누군가를 불편하게 할까 봐 말도 행동도 더 조심하게 되었다. 책임과 일은 많아졌다. 내일뿐만 아니라 다른 사람의 일도 봐주고 책임을 져야 했다. 내가 힘들었던 것을 겪게 하고 싶지 않아 신경 쓰나 보니, 능력치를 넘어가는 에너지를 쓰게 되었다.

그렇게 수개월이 지났다. 내 말 한마디가 일이나 누군가에게 큰 영향을 미칠 수 있는, 익숙해지지 않는 상황이 이어졌고 무게감과 영향력은 심화되는 거 같았다. 다른 사람을 대할 때 스스로를 다잡아야 하는 순간이 점점 늘어나기 시작했다. '왜 저러는 걸까, 어떻게 해야 하는 건가' 싶은 상황이 많이 생기는 것이었다. 그냥 팀원이었다면 마주하지 않아도 될 상황들이었다. 그런 속에서 내가 함부로 하면 할 수 있는 상황이기에, 혹여나 하며 더 조심하게 되었다.

'내 그릇은 그게 아닌데' 하며, 그렇게 버거운 시간이 지나고 있었다. 그러다 문득 그런 생각이 들었다.
내가 히어로의 초능력을 갖게 된 거 같다고. 초능력. 그게 내게 주어진 것일지 모른다고.

영화에서 보면, 초능력자들은 평범하게 지내다 어느 순간 자신의 초능력을 자각하게 된다. 그 초능력을 잘 쓰면 세상에 도움이 되고 자신도 구원받지만, 조절하지 못하고 마구 쓰게 되면 다른 이들에게 커다란 피해를 주거나 흑화 되어 자신도 망가지게 된다. 그래서 초능력자들은 어렸을 때부터 그것을 잘 조절해서 쓸 수 있게 연습하고, 이 힘을 어떻게 무엇을 위해 써야 하나 늘 고민하곤 한다. 그리고 그 능력을 잘 쓸 수 있게 도와주는 이들도 있다. 슈퍼맨도 스파이더맨도 X맨들도 그랬다.

마찬가지로 사회에서 만들어진 힘이 현실 초능력인 거 같았다. 조직에서 직책을 갖게 되거나 오래 있다 보면, 어느 순간 집단 안에 '권력'이라고 불릴 수 있는 힘이 생기기도 한다. 그 힘을 잘 쓰면 다른 이에게 도움을 주고 일이 원활하게 이루어지게 하지만, 목적에 맞지 않게 쓰거나 힘에 도취되어 그 자체를 즐기며 쓰게 되면 다른 이를 다치게 할 수 있다. 이는 초능력을 마구 쓰는 것과 다르지 않은 것이고, 그 사람이 현실 세계 빌런이나 악당이 되는 거다. 특히 사회 내에서 그런 역할을 부여받은 경찰이나 정치인 같은 사람들은 일반인들에게 그런 힘을 직접 행사하는 존재란 생각이 들었다.

그리고 그런 것이 비단 사회생활에 국한되는 게 아니란 생각이 들었다. 결혼을 하고 아이를 낳게 되면, 부모는 아이들에게 절대적인 영향력을 줄 수 있는 초능력자가 된다. 아이도 마찬가지다. 힘없던 어린아이가 커가며 신체의 힘이 생기고, 지식을 쌓고, 경제력을 갖게 되면서 점점 그 가정 안에서 힘이 생기고, 부모에게 영향을 미치게 된다. 동네에서도 어른이나 힘이 생긴 아이는 이웃이나 주변 아이들 앞에서는 힘을 보여줄 수도 있다. 그때도 힘을 어떻게 쓰느냐는 초능력을 어떻게 쓰느냐와 별반 다르지 않을 것이다.

이렇게 우리는, 우리도 모르는 사이에 '초능력'을 갖게 된다.

그리고 히어로 영화를 볼 때, 초능력이 있는 주인공이 그 힘을 다른 사람을 돕는 선한 일에 쓰는 것이 당연한 것이고, 주변에서 엄청난 오해와 핍박을 해도 이겨나가는 것이 당연하고 흔들려 넘어지는 것은 말도 안 되는 것이라고 생각하는데, 실은 그게 당연한 게 아니란 생각이 들었다.

자신의 힘을 자신이 원하는 대로 마음껏 쓸 수 있지만, 어찌 된 건지 엄청난 선한 의지를 갖고 자신의 인생을 갈아넣으며 다른 사람을 돕고 사는 거였다. 그리고 초능력을 조절하고 자유자재로 쓰는 것이 너무나 당연하고 쉬워 보였는데, 강약을 조절하고 능력치를 끌어올리는 것이 엄청난 시간과 노력의 결과물이었음이 느껴졌다.

선임이라는 자리를 맡으며, 히어로는 아니지만 작은 초능력이 생긴 것 같았다. 누군가에게 요청을 하면 상대는 자신의 생각과 다르더라도 따라줘야 하고, 그 과정에서 내가 누군가의 마음을 다치게도 할 수도 있는 거였다.

그런데 그 초능력은 조직이라는 한정된 공간에서 사용할 수 있으며, 일에서만 사용해야 하는 것이다. 내가 만든 것도, 내 것도 아니고, 팀원들에 의해 주어진 것이라 그들이 받아주지 않으면 그 힘은 발휘되지 않고 사라지게 된다. 적절히 사용하지 못할 때 사라지게 되는 힘인 것이다. 그래서 그 힘을 사용할 때는 목적을 갖고 어디에 사용할지 고민해야 한다.

그래서 그런 생각을 했다. 내게 주어진 '초능력'이 목적에 맞게 그리고 팀원들에게 도움이 되게 사용할 수 있게 되면 좋겠다고. 무고한 누구도 다치지 않고, 악당은 막아주고, 억울하게 당하는 이 없고, 사회가 평화롭게 돌아가도록 하는 히어로처럼.

난 히어로는 아니지만, 일이 목적에 맞게 잘 진행되고, 팀원들이 그 일을 잘할 수 있게 하며, 그 과정에서 마음 다치지 않게 하며, 그래도 살만한 세상이라고 즐겁게 지낼 수 있기를, 서로 믿으며 도우며 잘 지낼 수 있게 되기를 바라고 있다.

안다. 초심은 그러했지만 어떤 상황이나 사람들 앞에서는, 슈퍼맨의 크립토나이트를 만난 거처럼 미약해지고 흔들리고 조절하지 못할 수 있는 인간이란 것을. 히어로가 초능력을 단련하는 데 시간이 필요하듯이 나도 시간이 걸릴 것이고, 완전하게 단련되지 않을 수도 있다는 것을. 아니기를 바라지만, 누군가를 다치게 할 수도 흑화 될 위험도 없지 않다는 것을.

그래도 그런 소중한 마음을 갖고 있었던 나를 떠올리며, 히어로까지는 아니더라도 조심히 걸어가기를 바라는 마음으로 다짐의 글을 써본다.

리스펙트 슈퍼맨

치와와가

짖는

이유

몇 년 전부터 매주 중학교 은사님 댁에 가고 있다. 은사님 댁에서 치와와 한 마리를 키우고 있는데, 갈 때마다 '왈왈' 거리며 엄청 짖는다. 선생님이나 가족들이 강아지를 보며 '언니야~'하고 진정시켜도 효과는 없었다.

간식을 챙겨주기도 하고, TV에서 본 강형욱 훈련사님의 조언대로 옆에 가만히 앉아 하품도 해보고, 쳐다보지 않고 가만히 앉아있어도 보고, 손등 냄새도 맡아보게 했지만, 역시나 다음에 가면 언제 그랬냐는 듯 또 짖는 거였다.

치와와가 워낙 자기 가족에 애착이 있어 그 외 사람을 경계한다는 걸 알고 있었지만, 감정으로는 그런 상황이 받아들여지지 않았다. '나도 우리 강아지들이 엄청 좋아한 사람인데', '다른 강아지들은 다들 나를 반겨주는데'란 생각에 괜히 서러운 감정까지 느껴졌지는 거였다. 당시 마음이 약해진 상태라 그런 거 같기도 했다. 당연히 강아지는 나를 반겨줄 거라 성급히 기대했던 거 같기도 했다.

그런 상황이 계속되자, '칫, 나도 너 안 이뻐할 거야, 굳이 이뻐해 줄 필요 없지.'란 생각도 들었다. 그러다 내가 개한테까지 무슨 생각을 하는 건가 싶었고, '시간이 필요한가 보다'라고 생각하며 굳이 가까이 가려 하지 않았다. 이후 강아지가 짖으면 짖는 대로 보고 지나갔다.

그렇게 3년 넘게 지냈던 거 같다. 은사님 댁 강아지는 여전히 당연한 듯 습관처럼 짖고 있었다.

그런 어느 날 밤, 운전하며 집에 가는 중이었다. 차를 물려받고 운전한 지 두 달이 채 안 되어, 아직 운전과 차 기능에 익숙하지 않던 때였다. 사거리에서 좌회전 신호를 받고 기다리고 있었는데, 맞은 편 좌측 코너에는 셀프주유소가 있었다. 그곳이 다른 곳보다 저렴한 편이어서 한번 주유를 한 적이 있던 곳이었다. 신호가 바뀌어 좌회전을 하고 주유소를 지나려는데, 20m 정도 앞에 있는 주유소 출구에서 거대한 탑차가 주유를 마치고 나오려는 것이 보였다. 출구에서 탑차가 빼꼼히 얼굴을 내밀고 있었는데, 거기서 조금이라도 앞으로 나오면 나와 부딪힐 수 있었다.

순간 '나를 봤겠지? 멈추겠지?' 했다가, '차가 커서 나를 못 봤을지 몰라. 내가 초보인지 모르니 천천히 비켜줄 거라 생각해서 계속 앞으로 나오면 어쩌지?'라는 오만 생각이 났다.

점점 가까워지는 커다란 탑차 앞에 두려움이 생겼고, 나의 존재를 알려야겠다는 생각에 용기 내어 처음으로 크랙션을 눌렀다.

"푸슈욱", "바앙~"

짧은 순간임에도 예상과 다르게 부드러운 크랙션 촉감에 놀랐고, 바람 빠지는 듯한 소리에 두 번 '오잉'하며 놀랐다. 크랙션 소리는 위협적이지 않아 길에서 부담 없이 누를 수 있을 정도였다. 닌 그렇게 타격감 없는 크랙션 소리를 내며, 무사히 탑차를 지나갔다.

그러다 문득 작은 개들이 생각났다. 치와와 같은 개들 말이다. 작은 개들이 덩치 큰 개나 사람을 보면 짖는데, 걔네들이 정말 무서워서 짖는 거였구나란 생각이 들었다.

자신과 비교도 안 되는 엄청난 크기의 존재가 보이면, 나도 모르게 긴장하게 된다. 그리고 그 존재가 조금이라도 움직이면, 다칠 수도 있겠다는 위협적인 느낌이 들어 무서움을 느끼게 된다. 그래서 나는 클랙슨을 울렸고, 강아지는 짖는 거였다.

선생님 댁의 치와와가 나를 보고 짖는 이유를 머리로는 알아도 마음은 그렇지 못했는데, 순간적으로 그 느낌을 경험하니 마음으로 이해되었다. 그 아이가 정말 작게 느껴졌고, 큰 인간인 내가 개랑 싸우려 했나 싶은 생각도 들었다. 그 아이를 다시 보게 되면 조금 더 사랑스럽게 볼 수 있을 거 같았다.

그 후로도 난 매주 은사님 댁에 갔고, 그렇게 몇 달이 지났다. 놀랍게도 그 아이는 이후 내 다리에 앉아 쉬기도 했고, 짖지 않고 그저 바라보는 일이 많아졌다. 짖더라도 그 목소리엔 전보다 편안함이 묻어있었다. 나도 그 아이가 그 자체로 다시 보이고, 전보다 편안히 느끼게 되었다.

살면서 머리로 알아도 마음으로 받아들여지지 않는 경우가 생긴다. 하지만 다양한 경험과 입장을 겪으며, 이해되지 않던 것들이 조금씩 이해되기도 한다. 운전을 통해 풀리지 않던 강아지와의 관계의 실마리를 찾았듯 말이다.

나이 들며 점점 이해의 폭이 커지고 누군가를 대하는 태도가 더 여유로워지기를 또 바라본다.

나에게
필요한 만큼의
능력

그러다 문득, 나에게 로열젤리를 먹이기로 했다

내가 나를 위해 관심을 갖고 조금씩 해보던 것 중 하나는 그림이었다. 그림을 배운 적도 없고 학창 시절 이후에 그려본 적 없지만, 떠오르는 이미지를 표현해 보고 싶었다. 단순한 그림이었지만 머릿속의 이미지가 현실화되는 게 신기했고, 완성된 작품은 어떤 작품보다 멋져 보였다. 나를 표현하고 나서의 개운함과 만족감이 그림을 계속 그리게 만들었다. '그림을 그리는데 자격이 필요한 게 아니고, 그리고 싶은 것을 그리면 화가'라는 마음으로 힘을 내고 으쓱하기도 했다.

그런데 자칫 우쭐할 수 있던 나를 겸손하게 만든 분이 있었다. 일을 하며 몇 해 전 알게 된 분이었는데, 아이 셋을 키우며 박사학위도 따고, 교수로 연구도 하고, 외부 강의도 하는 분이었다. 그분을 보면 '나는 그중에 하나 하기도 벅찰 거 같은데 어떻게 이 모든 걸 다할 수 있을까'하는 생각이 절로 들었다.

그런데 그분이 취미로 그림을 그린다는 것을 알게 되었다. 그분도 그림을 배운 적 없다 하셔서 동지를 만난 듯 반가웠고, 마음속에 엄청난 공감대를 형성했다. 하지만 그분의 그림을 보자 그림에서도 나와는 다른 차원이시구나 싶었다. 아무리 봐도 처음 그린 사람의 수준이 아니었다. 커다란 실력차이가 느껴졌지만, 난 처음 그림을 그리던 참이었고 사람마다 그리는 방향이 다를 수도 있다 생각하며 그 순간을 넘겼다.

이후에도 직장생활을 하며 나를 위해 조금씩 이것저것 해보며 지냈고, 내가 좋아하는 '시'와 '그림책'이 닮았음을 느끼며 그림책을 구상하며 준비하고 있었다. 그 사이 그분은 새로운 기관의 장으로 취임하셨고, 1주년 행사에 참석하게 되었다. 여전히 열정 넘치는 모습과 반가이 맞아주시는 모습에 힘을 얻었다. 그리고 생각지도 못한 선물도 받았다. 달력이었다. 그런데 시중에서 파는 것이 아니라 그분의 그린 그림으로 채워진 굿즈였다.

'와아'

순간 숨 막히듯 놀랐다. 그동안 그분이 얼마나 바빴을지 상상이 되는데, 그 와중에도 계속 그림 작업을 하셨던 거다. 또한 그림의 수준도 놀라웠다. 나 역시 정말 직장생활로 치열하게 바빴고, 짬짬이 다른 시도를 하느라 시간을 내지 못했다고는 하나, 결과적으로 그동안 꾸준히 그림을 그리지 못했다. 그림의 수준도 그저 일반인의 것이었다. 내가 그리는 게 순간 초라하게 느껴졌고, 그림을 그린다고 말한 게 부끄러울 정도였다.

그림은 이런 분이 그려야 하는 건가 싶었다. 그림을 그린다고 할 수 있는 건 이 정도의 재능도 있어야 하는 거고, 아무리 바빠도 그림을 그릴 정도의 열정과 결과물을 내야 자격이 있는 거란 생각이 들었다. 지금까지 내 즐거움과 만족, 자부심들이 우물 안 개구리의 그것처럼 느껴졌고, 내 안의 그 무엇이 흔들림을 느꼈다.

그렇게, 그림을 계속 그리는 것에 대한 의문이 생기려 할 때였다. 문득, '그렇다고 내가 그림을 그만 그려야 하는 건 아니지 않을까'란 생각이 들었다.

그림을 그리는 사람은 다양하고, 그 표현과 형태와 수준도 다양하다. 레오나르도 다빈치나 미켈란젤로처럼 그리는 사람도 있지만, 마티즈처럼 그리는 사람도 있고, 바스키아처럼 그리는 사람도 있다. 인스타툰을 그리는 사람도 있고, 도안을 그리는 사람도 있고, 삽화를 그리는 사람도 있는 것이다. 그렇다. 모두가 다 미켈란젤로처럼 그릴 필요는 없는 거다.

'나는 그분처럼 그리지는 못하지만 내가 표현할 수 있는 그림을 그리면 되는 거다. 나의 색채가 담긴 그림을 그리면 되는 거다. 그림 하나로는 그렇게 잘한다고 할 수 없지만, 나는 내가 하고 싶은 이야기의 모습을 표현하면 되는 거다. 그건 나만이 그릴 수 있는 거니까. 나에게는 나의 그림 실력이면 충분하다.'고 생각이 들었다. (물론 그 선생님은 그런 것도 잘하실 거 같다는 생각이 들긴 했지만 말이다.)

그리고 문득 그런 생각이 들었다. 나에게는 내게 맞는 능력이 필요한 만큼 장착되어 있는 거라고. 더하지도 덜하지도 않게 말이다.

내가 피아노를 쳐야 하는 사람이었다면, 피아노 학원을 다니던 어린 시절에 재능을 느꼈을 것이다. 내가 만약 수학자가 되었을 사람이라면, 수학을 좋아하고 숨 쉬듯 이해했을 것이다. 하지만 초등학교 시절 내게 피아노는 그냥 쳐야 하는 숙제 같은 존재였고, 수학은 이상하게 잘 이해되지 않고 계속하고 싶지 않았다. 그건 나의 길이 아니기에 그 정도의 능력이 장착되지 않은 거고 관심이 가지 않았던 것이리라 생각됐다.

그러니 나에게 다른 이의 능력이 없다고 아쉬워하거나 부러워할 필요가 없는 거다. 누군가 그림을 더 잘 그리는 건, 피아노를 잘 치는 건, 재테크 능력이 있는 건, 그들에게 장착된 능력일 테니까. 모든 것을 잘할 수는 없다. 그리고 노력하면 할 수 있더라도, 한정된 시간과 에너지를 갖고 있는 인간이기에 그중에서 기쁨으로 다가오는 것을 하면 되는 것이다. 내게 맞는 길을 찾아가고 그런 삶을 살아가는 게 맞는 거 같다.

그래. 내게는 내게 맞는 능력이 주어져 있다.

그렇게 난 또 하나의 숨겨진 삶이 비밀을 알게 된 거 같다.

동백꽃씨

심기

회사를 그만두면

남을

것들

그러다 문득, 나에게 로열젤리를 먹이기로 했다

퇴근길. 비 같은 눈이 추적추적 내리고 있었다. 집에 가는 길에 다음 주면 퇴사하는 동료를 데려다주는 중이었다.

운전하며 예전 생각이 나서 이야기하기 시작했다.

"내가 처음 회사에 와서 운전한 게 금빛플라워를 다녀오는 거였는데, 갔다 와서 주차하려고 보니까 사이드미러가 접혀있는 거예요. 접힌 지도 모르고 달린 거죠. 초보라 고개를 돌릴 여유 따위 없었고, 옆에서 차선 변경하면 된다고 알려줘서 다녀올 수 있었던 거예요. 그런데 지금은 사이드미러를 자주 봐요. 이제 옆을 볼 수 있게 된 거죠. 성장했죠. 전에 내가 회사를 그만두면 뭐가 남을까 생각한 적 있는데, 그중에 하나가 운전이에요."

그리고 동료에게 회사를 그만두면 무엇이 남는지 궁금해

물었다. 그는

"전 다니면서 생각보다 글을 많이 쓴 거 같습니다. 그게 남는 거 같습니다. 전에는 중학생 때처럼 글을 썼는데, 지금은 담백하게 글을 쓰게 된 거 같습니다. 이런저런 얘기를 하지 않고 전달하고자 하는 것을 정확하게 전달하게 된 거 같습니다. 그게 지금 저에게 도움이 되는 거 같습니다... 네, 글 쓰는 게 남는 거 같습니다."

라고 했다. 신선했다. 전에 나 역시 비슷한 생각을 한 적이 있어 신기하기도 했다.

'이번 달만 다녀보자'하며 회사를 다닌 게 어느덧 만 5년이 되어가고 있었다. 오랜만에 다시 회사를 그만두면 무엇이 남는가 생각해 보게 되었다.

처음 스쳐 지나간 건 '돈'. 분명 입사 전보다는 통장 잔고가 많아졌다. 하지만 월급이 많지 않은 직종이기도 하고, 돈은 한순간 사라질 수도 있기에, 남는다고 여겨지진 않았다.

그리고 '운전'. 회사를 다니지 않았다면 나는 여전히 운전을 못했을 것이다. 분명 지금 운전을 하게 된 건 큰 변화고, 내가 갖게 된 능력이다. 하지만 무슨 일이 생겨 운전을 못하게 될 수도 있다는 생각이 들어, 남는다고 확실히 말하지는 못할 거 같았다.

그리고 '사람'. 직장을 다니며 마음 맞는 사람을 만나 연락하며 친구로 지낼 수 있게 된 것이다. 아마 이게 남는 것 중에 제일 큰 몫일 수 있겠단 생각이 들었다. 전에도 직장을 그만두었을 때 따로 남는 건 없었지만, 친구를 얻었으니 말이다. 하지만, 살면서 바쁘다거나 해서 연락을 자주 못하는 경우도 있기에, 이것만으로는 남는 것을 충분하게 다 설명하기는 어려웠다.

그래서 난 다시 무엇이 남는지 생각해 보았다. 무슨 일이 있었고, 무엇을 했는지 잠시 돌아보았다. 회사를 다녀서, 그렇지 않았다면 하지 못했을 것들을 말이다.

제일 처음 떠오른 것은 가족과 제주도 여행을 다녀온 것이었다. 회사를 다니면서 돈을 벌고 운전을 해서 다녀올 수 있었던 거다. 내가 먼저 여행을 가자고 할 수도 있었고, 외식을 할 수도 있었다.

그리고 친구들과 다양한 만남이었다. 일하지 않을 때는 친구와 만남과 경비도 최소화했다면, 회사를 다니면시는 힘께 여행도 다녀오고 먹고 싶은 것도 먹고 내가 사기도 했던 거 같다.

또 소속을 이야기할 수 있고 비용을 낼 수 있었기에, 원데이 클래스나 새로운 모임에 용기 내어 참여했던 거 같다. 가뜩이나 내성적인 나는 그나마 그 덕에 다양한 경험과 사람을 만나고 유지할 수 있었던 거 같다.

그러자 그런 생각이 들었다. '순간'이 남았다고.

돈, 운전, 사람은 모두 남아있지만 또 어느 순간 사라질 수도 있다. 하지만 경험의 '순간'은 사라지지 않는 거 같다. 시간 속에 박제되어 삶 속에 존재하니 말이다. 혹여 기억을 잃더라도 말이다.

5년의 시간을 지나고 있는 시점에, 회사와 상관없이 내 삶에 뭐가 또 남아있는 가도 생각했을 때, 무엇이라고 아직은 확실히 말하기 어려웠다. 결혼을 한 것도 아니고, 특별한 결과물을 낸 것도 아니기 때문이다. 내가 바라고 목표한 것이 있지만 아직은 이루지 못해, 어쩌면 5년 이란 세월을 보며 조급해지기도 했다. 하지만 그래도 그런 '순간'이 내게 조금은 위로가 되어 주는 거 같다.

다시금 사라질 그 무엇을 바라보고 참고 사는 게 아니라, 지금 누군가와 함께하는 순간, 경험하는 순간을 만족스럽게 채우는 게 중요하다고 다시 느껴졌다. 그래서 그럴 수 있는 환경에 있는 것이 중요하고, 순간을 온전하게 보내기 위해 좋아하는 사람, 좋아하는 일을 찾는 것도 중요한 거 같다.

지금 '순간'을 온전하게 보내며, 지난 '순간'을 떠올리며 위로받고, 앞으로의 '순간'을 위해 노력해야 하며 지내야겠다.

친구가

생겼다

　　그러다 문득, 나에게 로얄젤리를 먹이기로 했다

2월 끝자락을 향해가는 즈음, 눈이 오기 시작했다. 처음에는 비로 오다가 우박이 되더니, 짙은 눈이 되었다. 습기 가득한 눈은 쌓이고 쌓여 한 뼘 정도의 높이까지 올라왔다. 올해 어쩌면 마지막 눈일 수도 있겠구나 싶었다.

다음날 눈은 모든 곳을 덮었고, 나무에는 눈이 무겁게 열려 겨우 무게를 버티듯 있었고, 바닥에는 눈이 쌓여있었다. 이 광경을 지나치기에 아까웠다. 강원도 한 지역처럼 눈이 온 곳에 쌓여있었다. 아름다웠다.

올해의 마지막 눈일 수도 있다는 생각에, 점심시간 산책을 나갔다. 짧은 산책 후 회사의 뒤 공터에 갔다. 거기엔 작은 텃밭과, 작은 야외 나무테이블 하나와 벤치가 있었다. 테이블과 의사 위에는 아무도 건드리지 않은 눈이 소복이 쌓여있었다. 예전에 눈 왔을 때 누군가가 울라프 눈사람을 만들었던 테이블은 비어있었다.

불현듯 눈사람을 만들어야겠다 싶었다. 눈에 습기가 많아 잘 뭉쳐졌다. 눈을 조금 모아 동그랗게 다지자 눈사람 몸이 되었고, 작게 눈을 뭉치자 금방 얼굴이 만들어졌다. 눈은 근처의 나뭇가지를 주어 잘라 붙였고, 코는 작은 돌멩이로 만들었다. 팔은 기다란 나뭇가지를 꽂았고, 뭔가 새로운 게 없을까 하다 단풍잎을 머리에 꽂아주었다.

짜잔. 나의 눈사람이 완성되었다. 거의 십 년 만에 만들어본 나의 눈사람.

테이블 가운데 눈사람을 놓고, 뿌듯한 마음에 사진을 찍고 사무실로 들어왔다. 자리에 앉는데도 오늘 내가 뭔가 해낸 거 같고 왠지 모를 즐거움이 가득했다. 어릴 적 동심으로 돌아가 정화된 느낌이었다.

오후 내내 날은 화창했고 날은 점점 따뜻해졌다. 다음날, 눈사람이 살아있을까 궁금했다.

'녹았을까 안 녹았을까? 바닥의 눈은 녹았으니 없어졌으려나? 그래도 반은 남아있으려나?' 그런 생각을 하고 공터 나무테이블로 향했다. 테이블에는 내가 만든 눈사람과 다른 뭔가가 있는 것처럼 보였다. 난 '그렇지 날이 따뜻했으니 녹았나보다.' 하며 다가갔는데...

눈사람이 두 개였다!

누군가 내가 만든 눈사람과 같은 모양과 크기의 눈사람을 만들어 옆에 놓아둔 것이다. 새로운 눈사람의 머리에도 낙엽이 놓여있었고, 둘은 마주 보고 있었다.

두근거렸다. 순간 콘크리트 건물에 온기가 느껴지는 듯했다. 이런 감동이...

'누구지?'

낮 시간에 움직이기 자유로운 청소 여사님일까, 아니면 다른 파트의 사람일까, 남자일까 여자일까, 전혀 알 수 없었다. 단 하나, 아마 지난번 올라프 눈사람을 만든 사람이라 생각되었다. 어쩌면 그도 자신 외에 눈사람을 만드는 사람이 있다는 걸 알고 반가워 눈사람을 만들지 않았을까 싶었다. 누군지도 어디 있는지도 모르지만, 그와 나는 이미 같은 것을 공유하고 있었다.

'통하였구나.'

눈 오는 날 눈사람에게도 친구가 생기고 나에게도 보이지 않는 친구가 생겼다. 그 한 사람으로 인해, 건물의 사람들이 감성 있는 한 사람으로 느껴졌다. 낭만적이었다. 영화 '접속'에서 느낄만한 감정 같았다.

요즘은, 나 역시도 그렇고 콘크리트 회색 벽에 자신을 감추고 살아가는 사람들이 많은 거 같다. 하지만 기회가 될 때는 오색빛의 영혼이 튀어나오고, 같은 빛을 만나기도 하는 거 같다.

오늘 누군지 모를 이의 따뜻함으로 눈사람은 외롭지 않게 친구를 만들 수 있었고, 나도 낭만에 잠시 젖으며 같은 빛의 존재를 알 수 있었다.

아름다운 날이었다.

선택의 즐거움

팀 동료가 출근하는 마지막 날이었다. 굿바이 인사를 위해 팀원들이 점심을 함께 먹기로 했다. 가끔 회사에서 외식할 때 그 동료는 다른 사람들이 고른 걸 먹어왔기에, 이번에는 본인이 먹고 싶은 걸 먹게 해주고 싶었다. 그는 자신이 배려한 게 아니고 정말 뭘 먹든 상관이 없었던 거였다고 했지만, 메뉴, 장소, 방식 어떤 것도 상관하지 않고 고를 수 있게 해 주었다.

"어떤 걸 골라도 상관없어요. 왜냐하면 다 맛있을 거거든요."

난 혹여 가질 수 있는 부담을 내려줄 수 있는 한마디도 얹어주었다.

그 동료는 고심 끝에 장소를 정했고, 일본가정식당을 간 후 대기 줄이 길면 근처 중국집으로, 거기도 자리가 없으면 떡볶이를 먹으러 가기로 했다.

일식당은 나름 유명한 동네 맛집이었고 조금 일찍 도착했음에도 20분 대기를 해야 했다. 우리는 원래 계획대로 대기하지 않고 근처 중식당으로 향했다. 그는 "저는 먹는 거를 특별히 가리거나 하지 않는데, 단 하나, 기다리지 않는 원칙이 있습니다." 했다. 그의 표정과 말투를 보니, 대기하지 않고 다른 식당에 가는 거에 만족한 듯 했다.

중식당은 비어있었고, 우리는 창가에 자리를 잡고 하나씩 원하는 메뉴를 골랐다. 짜장 둘, 잡채밥 하나. 그리고 그가 좋아한다는 깐쇼새우와 탕수육도 주문했다. 요리가 먼저 나왔고 우리는 식사를 시작했다.

식사하는 동안 이런저런 이야기를 하는데, 선택의 즐거움을 새삼 느꼈던 일이 생각났다. 그건 작년에 다녀온 안동여행이었다.

난 여행을 그리 많이 다니지 않고 즐기는 편이 아니다. 막상 여행을 가면 재밌어하지만, 먼저 어디를 가고 싶다 해서 가는 일은 거의 없는 거 같다. 그래서 친구가 여행을 가자고 했을 때는 '좋아'라며 잘 따라가는 편이다. 그렇지 않으면 내가 어디에도 가지 않을 거고, 여행을 가면 내가 모르는 즐거움을 느낄 수 있다는 것도 알기 때문이다.

그런데 안동은 내가 한동안 가보고 싶었던 곳이었고, 나의 결정으로 가게 되었다. 가고 싶었다고 했지만 사실 안동에 대해 아는 것이 거의 없었기에, 당일 검색과 친구의 의견을 조합하며 1박 2일을 여행했다. 예전처럼 유명 관광지를 다니고 맛있는 음식을 먹었다. 안동의 마늘갈비, 간고등어, 참마 수제돈가스, 안동찜닭, 카페 음료는 맛있었고, 하회

마을, 한옥카페, 맘모스베이커리, 예끼마을, 도산서원, 월영교는 새롭고 즐거웠다. 그런데 예전과 비슷한 여행방식이고 예전의 여행도 재밌었지만, 다른 무언가가 있었다. 즐거움이 생생했고, 여행과정이 그저 재미있었다.

난 그때 다시 느꼈던 거 같다. 선택의 즐거움을.

다른 이가 준비한 것을 즐기는 즐거움도 있지만, 내가 선택한 것을 통해 느끼는 즐거움은 또 다른 종류인 거 같다. 그리고 그런 경험은 더 밀착되고 크게 느껴지는 것 같다. 혹여 그 결과물이 퍽 괜찮지 않더라도, 선택의 결과를 바라보는 즐거움과 경험을 얻게 되는 거 같다. 그것은 선택하고 경험한 사람들만 알 수 있는 것이다.

그래서 난 선택권을 주는 걸 배려의 한 방식으로 삼은 것 같다. 작은 것일지도 모르지만, 메뉴 고르기, 가게 정하기, 선물 먼저 고르기 같은 것 말이다. 이번에도 퇴사하는 동료를 위해 함께 식사하는 것도 좋지만, 그에 더해 선택의 기쁨도 선물로 주고 싶었던 거 같다.

함께 먹은 음식은 역시 맛있었다. 그곳도 동네 맛집이었고, 검증된 메뉴들이었다. 우리는 음식을 남기지 않고 깨끗

하게 그릇을 비웠다. 그렇게 우리는 굿바이 식사를 마쳤다. 어찌 보면 우리가 늘 먹던 것이고 아는 맛이라 별다를 것 없는 식사였을지도 모른다. 그래도 그가 한 선택이 회사 마지막 날인 그에게 식사 이상의 즐거움을 주었기를, 그래서 그 식사가 조금은 특별했기를 바란다. 그리고 인생에서도 또한 그러하기를 바라본다.

엄마의
생일날

그러다 문득, 나에게 로열젤리를 먹이기로 했다

엄마의 생일날. 엄마와 둘이 함께 저녁 식사를 하러 갔다.

휴일이었던 전날 언니, 형부, 조카들과 함께 식사도 하고 케이크에 촛불도 붙였지만, 생일 당일의 축하가 있어야 한다고 생각했다. 실은 미역국을 끓여드려야지 생각했지만 생각뿐이었고 게으르고 부족한 딸은 저녁 식사로 대신하기로 했다.

평소에 외식하자고 하면 '비싼데 뭐 하러.'라며 돈을 아끼려 하던 엄마도, 이번에는 '그럴까...?' 하며 쉬이 호응해 주셨다. 싫다고 하면 내가 짜증을 낼 수도 있을 거라 생각하신 거 같기도 했지만, 어쨌건 기분 좋았다.

엄마가 선택한 메뉴는 '갈비탕'. 동네에서 나름 유명한 맛집인 '천지연'에 가기로 했다. 평소 엄마라면 비싸다고 가지 않았을 거지만, 엄마가 사주실 요량으로 큰맘 먹고 고르신 거 같았다.

저녁시간, 업무를 마무리하느라 시간이 조금 지체되었고, 엄마는 서두르지 말고 오라며 '^^' 문자를 보내주셨다. 나는 미안함과 고마움의 마음이 섞여 급히 집으로 향했다. 집에서 엄마를 픽업하고 식당에 도착했다. 월요일 저녁임에도 사람이 꽤 있었다. 월요일이면 피곤할 텐데 이렇게 부지런히 고기를 오는 사람이 많구나 싶었다. 가게에는 빈자리가 많았지만 대기 명단을 쓰고 15분을 후에 앉을 수 있었다.

좋은 고깃집이라 가격이 좀 있었지만, 고기를 먹어야 좋은 곳에 온 기분이 날 거 같았고 제대로 엄마 생일을 챙기지 못한 마음을 스스로 위안하고자, 소갈빗살 2인분과 후식 갈비탕을 주문했다.

자리가 세팅되고, 숯불이 들어오고, 고기가 나왔다. 그런데 서버분이 고기를 불판에 올려주고 간 후 다시 와서 고기를 뒤집어주시는 거였다. 평소 고깃집에서 직접 구워 먹던 게 익숙했던 터라, 고기를 구워주는 곳이란 걸 그때야 알아차렸다. 빈자리가 많아도 서버 인원이 적어 대기를 시켰다는 걸 그때 깨달았다.

우리 테이블의 서버분은 50대 중후반으로 보였는데, 조용히 필요한 걸 챙겨주시고, 굽기도 물어보며 옆에서 고기를 구워주셨다. 오랜만에 식당에서 누군가 구워주는 고기를 먹으니, 대접받는 거 같고 기분이 좋아졌다. 고기를 굽는 걸 보는 것도 볼거리가 되어 심심하지 않았다.

고기가 조금씩 구워지자 엄마한테 먹어보라 하고, 나도 한점 먹어보았다.

맛있었다.

부드럽게 씹히는 고기에는, 소고기 특유의 고소한 기름맛과 고기 맛이 응축되어 있었다. ´그래. 이 맛이야.´ 이 말이 절로 떠오르는 감동의 순간이었다…!

'집에서 구우면 이런 맛이 안 나는데, 기분 탓인가, 불이 좋은 건가, 고기가 좋은 건가, 아니면 잘 구워주시는 건가' 오만 생각을 하며 고기 맛에 감탄했다. 누군가 구워주는 고기를 먹는 상황이 기분 좋고, 엄마 생일에 뭔가 해드렸다는 생각에 자기 위안과 뿌듯함을 동시에 느끼고 있었다.

구워지는 고기를 바라보며 엄마는 내게 많이 먹으라 하고 나는 엄마에게 어서 먹으라는, 아주 일상적인 대화를 잠시

하고 제대로 먹기 시작하려는 참이었다. 갑자기 "친정 엄마예요?"라는 질문을 받았다. 옆에서 조용히 고기를 구워주시던 서버분이었다.

갑작스럽게 개인적인 질문을 받아 당황했고, 결혼하지 않아 '친정 엄마'라는 단어가 어색하다 느껴졌다. 그러다 내가 결혼은 안 했지만 그분 입장에서는 그냥 엄마를 지칭하시는 거겠지란 생각의 단계를 거친 후, "아, 네."라고 짧게 대답했다.

그러자 "친정 엄마가 있어서 좋겠어요.."라는 짧은 말씀을 하셨다. 순간 그분의 얼굴을 보았다. 그분은 고기를 보며 굽고 있었지만 다른 것을 바라보는 듯했다.

마음이 숙연해졌다. 짧은 한마디와 표정에서 그분이 보였고, 그 마음과 상황이 이해됐기 때문이다. 그분의 어머니는 돌아가셨을 것이고, 아무렇지 않게 일상처럼 엄마와 같이 저녁을 먹고 이야기했던 시간을 떠올렸으리라. 자기를 챙겨주는 가장 소중한 존재를 그리워하고 있는 것이리라. 힘들게 일하고 있는 자신을 토닥이며 걱정해 줄 엄마를, 자기를 우선하여 챙겨주는 소중한 존재를 그리워하는 것이리라. 나도 그런 엄마가 있는데, 아니 있었는데 하는, 짙은 그리움이 가득한 표정이었다.

답할 수 있는 말이 없었다. 그 어떤 말도 이 상황에 어울릴 거 같지 않았다. 나는 속으로 조용히 '네' 하고 답하고, 살짝 고개를 끄덕였다.

서버분이 남은 고기를 마저 구워주실 때, 엄마는 갈비탕의 국물과 밥을 따로 덜어 내게 주셨다. 평소라면 투정 부리는 말투로 '아냐, 나도 배불러. 먹을 거 많아. 엄마 다 먹어.'라고 했을 텐데, 이번에는 그 말이 나오지 않았다. 그저 갈비탕이 찰방거리는 앞접시를 조심히 받아 한입 두 입 먹기만 했다.

옆에서 서버분이 이 모습을 보며 어머니를 더 그리워할 수도 있다는 생각에 괜히 미안함이 들고 신경 쓰이기도 했다. 그리고 평소처럼 엄마가 나를 위해 음식을 덜어 주고받는 것이 특별한 순간이구나 느껴졌던 거 같다.

서버분은 고기를 다 굽고 자리를 떠나셨고, 엄마와 나는 남은 식사를 마쳤다. 나 혼자 2인분의 고기를 거의 다 먹고 갈비탕도 반을 먹어서, 누구를 위한 저녁식사였나 생각하며 계산하고 가게를 나왔다.

엄마와 일상을 보내고 있는 나는, 일이 많아 집에 늦게 들어오고, 피곤하다며 쓰러져 자고, 할 일이 있다며 밥만 먹고 방에 들어가고, 왜 나한테 그런 이야기를 하지 하며 무관심히 지나치고, 괜히 어리게 심통 부리고, 엄마가 해주는 것들을 당연히 생각하고 짐 지우며 최근 몇 년간 그렇게 보낸 거 같다.

엄마와의 순간이 소중하다는 걸 알지만, 막상 일상에서는 온전히 엄마와 시간을 보내지 않고, 다음으로 다음으로 하며 미루는 거 같다. 엄마는 당연하게 나에게 있는 존재였고, 계속 있는 존재라 생각해서 더 그랬던 거 같다.

하지만 시간이 지나면서, 엄마의 나이 듦을 보고, 주변에서 일어나는 이별을 보면, 어쩌면 나에게도 일어날 수 있구나란 생각이 막연하지만 떠오르기도 한다. 그리고 오늘 엄마 생일날, 무심히 밥을 먹다 그런 순간을 또 마주쳤다.

길을 가다가 혹은 티브이를 보다가 노부부가 아름답게 손잡고 걷는 모습을 보면 참 부럽다는 생각이 들고, 나이 든 어머니를 모시고 함께 식사를 하거나 여행을 하는 모습을 보면 참 보기 좋다는 생각이 든다.

그런데 다른 사람의 행복한 모습은 보이는데, 정작 내가 누리고 있는 나의 모습은 잘 보지 못하는 거 같다. 어쩌면, 엄마와 식사하는 그 순간이 누군가에게는 너무

그립고 소중한, 그리고 부러운 순간일 수 있을 것이다.

나에게 있는 소중한 것을, 누군가는 절실히 그리운 그 순간을, 내가 가지고 있을 수 있음을 깨달으며 내가 가진 것들을 온전히 느끼고, 기뻐하며, 감사하고, 충실히 살아가길 바라본다.

하루 종일 혼자 집에 있으며 내가 오길 기다렸을 엄마의 모습이, 함께 밥을 먹으며 잠시 이야기하는 것에 기쁨을 느끼던 엄마의 모습이, 내가 방에 들어갈 때 서운해하는 모습이 스쳐 지나간다. 내일은 엄마와 식사하며 조금 더 소소한 이야기를 하고, 엄마의 하루를 찬찬히 듣고, 조금은 다정하게 말해봐야겠다.

봄날

어느

하루

그러다 문득, 나에게 로열젤리를 먹이기로 했다

직장이라는 조직에 아직 적응하기 어려운 것 중의 하나는 '연차'이다. 그 숫자를 보면, 1년 중에 내가 자유롭게 쓸 수 있는 날이 며칠로 정해져 있다는 게 커다란 속박으로 느껴지는 거 같다.

난 4월에 연차가 갱신된다. 그 뜻은 3월까지는 그 전 해의 연차를 모두 소진해야 한다는 것이다. 내게 16일의 연차가 있는데, 계속되는 야근과 일정 등으로 3월 중순까지 쓰지 못한 휴가가 6일 5시간 남아있었다. 수요일에 급히 금요일 오후 5시간의 휴가를 신청하고, 남은 2주간 휴가를 분배해 신청하기로 했다. 앞으로 해야 할 일들이 걱정되어 마음이 편하지만은 않았다.

목요일 밤, 자기 전 침대에 누워 내일 낮에 무엇을 할까 행복 회로를 돌리기 시작했다. 오랜만의 휴가신청이기도 하고, 그 시간을 어떻게 하면 더 아깝지 않게 보낼까 생각하다 보니 선택하기 쉽지 않았다.

'근처 사는 친구에게 연락해 맛있는 걸 먹을까, 보고 싶던 듄 2 영화를 볼까, 선물 받은 쿠폰으로 카페에서 혼자만의 시간을 보낼까, 집에 가서 누워 보낼까, 책을 읽을까, 미뤄둔 글을 써볼까?' 하며 오랜만의 자유시간을 생각하니 나도 모르는 사이 기분이 좋아지기 시작했다. 회사 일들은 어떻게든 되겠지 하며 거리껴지지 않았다. 영화 시간과 극장을 잠시 찾아보며, 다음날을 두근두근 기다렸다.

출근하자마자 처리해야 할 일들이 밀려왔다. 갑작스럽게 퇴사자들이 생기며 업무가 늘었고, 그로 인한 조직개편으로 난 다른 팀으로 가게 되었다. 기존 업무에 새로운 업무까지 맡아, 업무를 제대로 확인할 겨를도 없이 기존에 쌓인 업무와 급히 내려온 일들을 처리하느라 시간이 초 단위로 흘러가는 거 같았다. 아마 오후 휴가로 마음이 급해져 더 그랬던 것이리라.

잠깐의 회의를 마친 후, 11시 조금 넘어 외근을 나가게 되었다. 별생각 없이 급히 건물을 나서는데, 순식간에 다른 세상이 펼쳐졌다. 바람은 따뜻했고, 온 세상에 봄볕이 가득했다. 내가 입은 검은색 경량패딩과는 어울리지 않는 세상이었다. 수많은 시계가 한 번에 돌아가는 듯한 좁은 콘크리트 공간이, 이제 저 너머의 세상이 되었다.

차를 타고 가면서도 온 세상을 비추는 노란 봄빛을 볼 수 있었다. 약속장소에 조금 일찍 도착해 상대방을 기다리며 아파트단지 주변을 둘러보는데, 아무것도 없던 겨울 가지에 하얗게 무언가 얹어 있는 것이 보였다. 매화꽃이었다.

나의 첫봄이었다.

콘크리트를 나오자, 어느덧 몽글몽글 매화가 피어나기 시작했고, 바로 옆에는 작고 노란 산수유꽃이 피어나기 시작했다.

외근을 마치자 그때부터 휴가 시간이 시작되었다. 봄이 왔음을 물씬 느끼며, 퇴근한 상태라는 것이 나를 더없이 들뜨게 했다. 이상하게 아침부터 기분이 좋았는데, 날아간 듯한 느낌이었다. 동네 보쌈 맛집에서 예전 팀분들과 점심을 먹고, 차 한 잔을 테이크아웃하고 회사로 복귀했다. 급히 처리해야 할 업무와 쌓인 일을 어느 정도 마무리하고 출발하기로 했다. 그리고 그간 만들지 못했던 회사 근처 도서관의 회원증도 만들기로 했다. 몸은 콘크리트 안에 있었지만, 마음엔 봄볕이 가득했다.

도서관 회원증 발급을 위해 재직증명서를 발급받고, 외부기관에 전화하고, 급히 제출해야 할 서류를 작성하고, 물품 결제와 결재신청을 했다. 예상보다 시간이 빨리 지나 이미 3시가 가까워지고 있었지만, 지금 하지 않으면 다음 주는 더 막막해지는 상황이었다. 나는 쌓여있던 업무기록을 차근차근 입력하기 시작했다. 일은 하고 있었지만, 휴가 시간이고 퇴근한 상태라는 것이 나를 들뜨게 만들었다. 자의적으로 일한다는 기분이 느껴져 그런 게 아닐까 싶기도 했다. 물론 그게 회사업무란 것에 현타가 오긴 했지만 말이다.

기억을 더듬고 기록을 찾아보며 시스템에 업무를 입력했다. '다다다닥, 따각 따각' 자판과 마우스가 바빠졌다. 30분, 1시간이 쉬이 흘렀지만 아직 정리할 게 많이 남아, '조금만 더 하자' 하며 시간을 보냈다. 그렇게 다시 30분만 더 1시간만 더 하다가 어느덧 5시 40분이 훌쩍 넘어가고 있었다. 창에서 느껴지는 해의 기운이 달라져 있었다. 아직 정리해야 할 것들은 남아있었고, 30분은 더 해야 마무리될 양이었다.

친구와의 만남, 천천한 도서관 구경, 카페에서의 글쓰기, 영화관람. 살랑거리고 봄볕 가득한 것들이 아지랑이처럼 사라지고 있었다. 무겁게 심장이 쪼여오기 시작했고, 더 이상 앉아있을 수 없었다. 난 가방을 챙겨 6시를 10분 남기고 나왔다.

날이 조금씩 어두워지려 하고 있었고 따뜻한 볕은 사라져 흐려져 있었다.

'아아 나의 휴가 시간들... 따뜻한 날이었고, 그저 산책만 해도 기분 좋을 날이었는데...'

이대로 그냥 집에 갈 수 없었다. 나를 위해 뭔가 해줘야 했다. 난 도서관으로 향했고, 6시 직전에 도착할 수 있었다. 몇 시간 전 발급받은 재직증명서로 회원증을 신청했고, 오랜만에 캠코더로 회원증용 사진도 찍었다. 두둥. 몇 분 후 도서관 카드가 발급되었다. 기다리던 선물을 받은 거 같았고, 왠지 모를 설렘으로 회원증을 만지작거리다 지갑에 고이 꽂아놓았다. 조금은 위로가 되었다.

회원증을 발급받은 날 그냥 갈 수 없어 열람실을 둘러보기로 했다. 꽤 큰 열람실이었는데, 날 좋은 봄날 금요일이라 그런지 사람은 많지 않았다. 난 좋아하는 마스다 미리 작가의 칸이 있는 800번대로 향했다. 큰 기대를 하지 않았는데, 못 보던 작품이 눈에 띄었다. 집 근처 도서관에는 없던 책들이었다. 두근. 만화시리즈도 있었고 에세이도 있었다. 난 바로 에세이를 집어 들고 아무 곳이나 펼쳐 한 장을 읽어 내려갔다.

역시 마스다 미리님의 글다웠다. 듬성듬성, 얼기설기 엮어진 일상의 글들 사이로 숨이 쉬어졌다. 오늘 나의 온전히 '일상'을 살지 못했지만, 그 글을 읽으며 그런 일상을 사는 거 같았다. 일상을 이렇게 살아갈 수 있는 것이고, 이렇게 살아가야 하는 거란 생각이 들었다. 다시 '그래 나 이렇게 살고 싶었지. 이렇게 글을 쓰고 싶었지. 이렇게 나누고 싶었지.'란 생각이 들었다. 그 한 페이지를 읽는데, 허무하게 사라진 나의 일상과 비어버린 내 안의 무언가가 조금 채워지는 거 같았다. 그래, 오늘 나는 이렇게 일상을 보냈어야 했다.

도서관에 오길 잘했다는 생각이 들었다. 그리고 반가운 사람이라도 만날 것처럼 열람실 이곳저곳의 사람들을 둘러보았다. 여러 책을 올려놓고 읽는 사람, 책을 펼치고 노트에

메모하는 사람, 이어폰을 꽂고 태블릿을 보는 사람, 눕듯이 기대앉아 멍하니 책을 바라보는 사람, 반짝이며 집중하는 사람 등 다양한 사람이 있었다.

'이들의 오늘 일상은 어떠했을까. 하루가 원하는 대로 가득 채워졌을까. 무엇을 채웠을까.' 나처럼 회사가 아닌 이곳에서 하루를 보낸 이들의 시간이 궁금해졌다. 허무히 하루를 보냈단 사람도, 어디로 향해가는지 고민하고 방황하는 사람도, 원하는 무언가를 채워 만족스러운 사람도 있을 거였다. 여기 있는 이들도 그저 자기만의 하루를 보내고 있는 거겠지 싶었다.

그러면서 내가 오늘 도서관에 있었다고 하더라도 하루가 채워진 느낌을 받지는 않았을 수 있다는 생각이 들었다. 대신 아까 느꼈던 그 봄볕에 있었다면, 그리고 나를 위한 무엇인가를 했다면 채워졌다는 느낌을 받았을 것이라 느껴졌다. 도서관에 와서 행복하게 느꼈던 것이 아니라, 그때 내게 필요한 그 무엇이 채워질 때 만족할 수 있는 거란 생각이 떠오른 거다.

처음 만난 봄, 아쉽게 흘러간 시간, 하지만 다시 붙잡은 끝자락. 그렇게 하루가 지나갔다.

이제 내게 주어진 나의 시간을 다른 것으로 대체하지 않고 그게 무엇이든 어떻게 되든 내가 가져야겠다는 생각이 들었다. '하고 싶은' 나의 시간을 '해야 할 일들'의 시간으로 대체하지 말아야겠다. 내 봄을 난 그렇게 보내기로 했다. 오늘 난 그렇게 두 번째 봄을 맞을 준비를 마쳤다.

이제 난 나의 두 번째 봄을 기다린다.

응급실

방문

오랜만에 응급실에 다녀오게 되었다. 점심 먹고 3시간 정도 지났는데. 갑자기 명치를 중심으로 몸통에 '쩡'하게 충격이 오더니 걸리는 듯한 통증이 시작되었다. 특별한 일이 있던 게 아니었다. 은사님 댁에서 점심과 간식을 먹고, 집으로 돌아오는 길에 주유도 할 겸 이전한 동네서점을 구경하고 돌아온 참이었다. 주차장에 차를 주차하고, 휴대폰 불빛으로 도서관에서 빌린 짧은 에세이 만화책 한 권을 막 다 읽어가고 있었다. 명치와 등에 뭔가 막힌 듯한 통증은 강렬해지기 시작했고, 쉽게 가라앉을 거 같지 않았다. 밥 먹은 지 한참 후라 체한 거는 아닐 것이고, 운동을 안 했으니 근육통도 아닐 테고, 난 그저 차에 불편하게 앉아있어서 잠시 걸리는 건가 생각했다.

통증으로 움직이기 어려워지기 전에 얼른 집으로 들어왔다. 외출복을 벗어던지고 편한 옷으로 갈아입었다. 옷이 주던 압박이 줄어들면 나아지려나 했는데, 통증은 여전히 그 자리에 있었다. 심상치 않았다. 위경련인 거 같았다. 재작년 여름에 위경련으로 고생했던 때와 비슷한 느낌이었다. 명치에 집중적으로 통증이 느껴졌고, 소화제를 마신 후 고꾸라지듯 침대에 누웠다. 손발은 차가워지고 몸에선 땀이 나기 시작했다. 온몸에 힘이 빠지기 시작했고, 꼼짝도 하고 싶지 않았다. 아무 생각도 나지 않았고 그저 통증이 가라앉기만을 바랐다. 배를 따뜻하게 하면 나아졌던 기억에, 겨우 몸을 일으켜 핫팩을 배 위에 붙이는 정도만 할 수 있었다. 왜 갑자기 이렇게 아픈 거지, 스트레스가 있긴 했는데 신체화되어 나온 건가, 그 스트레스가 이 정도였나 싶었다.

20대 중후반 즘 요로결석이 처음 생긴 때가 있었다. 커터칼로 뼈를 계속 긁어대는 듯한 생전 처음 경험하는 통증이었다. 자세를 바꾸어도 아무런 변화 없이 계속 아팠고, 하늘이 노래지는 게 이런 건가 싶었다. 이쯤 아프면 기절해도 좋겠다 싶었는데도, 정신은 멀쩡했고 아프기만 했다. 주말 저녁이라 응급실에 가게 되었고, 아프지만 않게 해주면 뭐든 할 수 있을 거 같았다. 검사결과 요로결석이었고, 없어질 거 같지 않던 통증은 약물투여 후 신기하게 사라졌다. 난 그때 통증이 얼마나 무서운 건지 알게 되었다. 아프면 숨 쉬는 것도 힘들고, 치료받는데 부끄러워지는 것도 상관없게 된다. 그저 세상에 바라는 건 통증이 없어지는 거 하나가 된다. 그때까지 난 정신적 고통이 육체의 고통보다 힘든 것이라 생각했는데, 육체의 고통도 정신의 것을 집어삼킬 수 있다는 걸 알게 되었다. 이후, 차라리 몸이 아픈 게 낫다는 말에 동의할 수 없었고, 아파서 쉬었으면 좋겠다는 생각도 하지 않게 되었다. 아픈 게 얼마나 큰 고통인지 잠깐이나마 경험했기 때문이다.

그런데 요즘 몇 년간 힘든 시간을 보내자, 아파서 어쩔 수 없이 회사를 그만두겠다 말하는 상상을 했었다. 내가 그런 생각을 해서 이렇게 아프게 된 건가란 괜한 생각이 들었다.

요로결석이 있을 때는 어떻게 해도 통증이 나아지지 않았지만, 위경련은 시간이 지나면 나아졌기에 조금 더 버텨보기로 했다. 하지만 아프니 시간이 가지 않는 거 같았고, 강한 통증이 이십 분이 지났는데도 여전했다. 내가 더 할 수 있는 건 없었고, 그대로 있기 힘들었다. 결국 엄마의 권유로 응급실에 가기로 했다. 위경련 같은 걸로 응급실에 가고 싶지 않았지만, 일요일 오후에 할 수 있는 건 그곳에 가는 것뿐이었다. 겨우 옷을 갈아입고, 택시를 호출했다. 움직이는 게 힘들어 누군가 다 해 줬으면 싶었다. 119가 생각났으나 그 정도는 아닌 거 같아 꾸역꾸역 움직이며 병원으로 향했다. 요즘 의사 파업으로 병원 분위기가 어수선하고, 응급실에서 사람을 받아주지 않는다는 이야기를 들어 불안하기도 했다. 그래도 다행히 택시를 타고 가는데 조금씩 통증이 나아지는 거 같았다.

응급실에 도착해 수속을 밟고 간호사와 간단한 면담을 진행했다. 증상과 점심에 무엇을 먹었는지 물었고, 미역국, 돼지불고기, 청포묵, 김치, 두부조림을 먹었다고 했다. 말하면서도 건강식으로 참 잘 먹었다는 생각이 들었다. 그 와중에 간호사가 병원에서는 처음 보는 남자간호사여서, 아는 사람이 떠오르기도 했다. 이런저런 생각이 드는 거 보니 확실히 통증이 덜해진 거 같았다.

응급실 안에는 환자가 한 명도 없었다. 난 침대에 누웠고, 수액과 처치 약을 바로 맞기 시작했다. 조금 있다 의사가 와서 배를 여기저기 눌러보더니 아픈지 물어보았다. 그렇게 세게 누르니 아픈 건 당연한 거 아닌가 속으로 생각했는데, 명치 쪽은 괜찮았지만 오른쪽 아랫배가 조금 아팠다. 의사는 조영제 CT를 찍겠다 했다. 위경련이고 아까보다는 나이진 거 같은데 꼭 조영제를 맞아야 하는가 생각이 들었다.

한 7년 전 열과 어지럼증으로 응급실에서 조영제 CT를 찍은 적이 있었는데, 그때 의료진이 조심스러워하며 검사를 받을지 물어봤던 게 생각났다. 걱정은 됐지만 필요하니까 찍으라는 건가 싶어 거부하지 않고 검사를 받게 되었다. 소변검사, 흉부 X-ray검사 후에 CT를 찍었다. 조영제를 맞으면 혈관이 많은 곳에 열감이 올 거란 설명처럼 몸에 후끈한 열감을 느꼈다. 무언가 돌돌 돌아가는 작은 통 안에 누워 지시에 맞춰 숨 참기를 대여섯 번 했고, 10분간의 검사를 마쳤다.

병원의 힘인지, 검사의 힘인지, 약의 힘인지, 이제 통증은 거의 느껴지지 않았고, 다시 편안하게 침대에 누웠다. 여러 사람이 곁에서 돌봐준다는 것만으로도 위안이 되어 통증이 사라지나 싶기도 했다.

휴대폰도 보지 않고, 오랜만에 맑은 정신으로 가만히 누워있었다. 응급실은 고요했고, 무언가 계속하고 있는 의료진들과 주변을 보며 시간을 보냈다. 나 혼자였던 응급실엔 새로운 환자가 오고 갔다. 중년 아들의 부축을 받고 들어온 80대 중반의 할머니는 배가 아프지 않게 해 달라며 신음하고 누워계셨고, 아버지와 함께 온 검은색 트레이닝 복의 10

대 남학생은 어딘가에 부딪혀서 왼손 엄지손가락이 젖혀졌다며 놀란 듯 조용히 앉아있었다. 30대 후반으로 보이는 한 여성은 어지럼증으로 정신이 없어 보였고 휠체어를 타고 이리저리 검사를 받으러 다녔다.

병원에 온 지 2시간 정도 지났고, 검사결과를 들을 수 있었다. 다행히 증상과 관련 특별한 이상은 발견되지 않았다. 검사결과 몇 가지 염려되는 점이 있었지만 그건 추후 진료가 필요한 부분이었다. 링거를 제거하고 옷을 갈아입은 후, 응급실답게 무려 22만 원을 결제하고 약을 받아 나왔다.

몇 시간 사이 병원 밖은 깜깜하게 어두워져 있었다. 나를 못살게 하던 통증은 사라졌고 약간의 뻐근함만 흔적처럼 남아있었다. 병원에 내내 누워있었는데도 앓았던 탓인지 온몸에 기운이 없었다. 집에 돌아와 편한 옷으로 갈아입자마자 침대로 다이빙했다. 이불은 폭신했고 몸이 그대로 녹아들어 침대와 한 몸이 되는 거 같았다.

평소와 같은 조용한 하루였는데, 예상치 못한 위경련 시건으로 하루가 지나가버렸다. 오늘 있었던 일들이 머릿

속에서 돌아갔고, 왜 이렇게 아프게 된 것일까 생각했다. 컨디션이 좋지 않아 생긴 증상이겠지만, 그래도 응급실까지 가게 된 이 상황을 스스로에게 설명해주어야 했다.

최근 이런저런 스트레스 상황이 있었다. 갑작스러운 회사 일들, 동료의 퇴사, 오랫동안의 진로 고민, 엄마에게의 투정, 누적된 피곤함 등등. 말하지 못하고, 어찌해야 할지 모르겠고, 할 수 있는 건 별로 없고, 상황은 변하지 않을 것 같았다. 그래서 몸이 아파 쉬게 되었으면 좋겠다고까지 생각했었는데, 그런 게 쌓여 몸으로 나온 거 같았다.

하지만 의도치 않게 아파보니, 건강이 최고라는 말이 자연스레 떠올랐다. 몸이 아프면 하고 싶은 것도, 어떤 고민도 중요하지 않게 된다. 그저 아프지만 않게 해 달라는 게 최고의 소원이 되어버린다. 난 아프길 상상했던 나 자신에게 미안해하며, 이제 그런 상상은 하지 말자 했다.

그러다 아프길 상상하면서까지 회사에 가지 않으려는 상황에 놓인 내가 안타까웠다. '뭣이 중헌디'. 아마 다른 사람이 그렇게 말한다면, 난 안쓰러운 마음으로, 그곳이 맞지 않은 거 같으니 이직하는 건 어떤지 물어봤을 것이다. 그리고 누가 나에게 그렇게 물었다면 좋은 대안이 있으면 좋겠다고 답했을 것이다. 그래서 결국은 나의 부족함으로 생긴 이런 상황에 대해 자책하고 힘들어하지 않았으면 좋겠다고

　나에게도 맞는 좋은 대안이 있기는 할까는 의심도 들지만, 그래도 이렇게 글을 쓰며 그런 곳이 있지 않을까 하는 소망을 가져본다. 건강하게 오래오래 살고 싶게 만드는 곳에 내가 있기를 다시 바라본다.

　지금, 아직은 조금 더 버티지 싶긴 하다. 이렇게 글을 쓰는 중간에, 내일 처음 가는 외부회의 안내문자가 온 것을 보고 준비를 했으니 말이다. 무사히 내일 또 하루를 보낼 수 있기를.

오래된 사진
전하기

　그러다 문득, 나에게 로열젤리를 먹이기로 했다

난 물건을 잘 버리지 못하는 편이다. 그래서 내 방엔 아주 많은 물건들이 가득하다. 십수 년 전 받은 편지, 전시회에서 사 온 엽서, 언젠가 쓸 거라 생각하고 사둔 물건들, 언젠가 전해줘야 하는 선물 같은 것들이 쌓여있다. 그중에 2년 전쯤 친구에게 전해주려고 뽑아놓은 사진이 있었다. 8년 전 즈음 찍은 친구 사진인데, 산책하는 모습, 지하철에 앉아있는 모습, 밥 먹는 모습 등 일상의 사진이었다.

그 친구와는 한 7년간 연락이 끊겼었다. 당시 특별한 일이 있었는가 하면, 글쎄, 있다면 있고 없다면 없을 것이다. 내가 기억하는 마지막의 만남은 이러했다. 평소처럼 만나고 있는데, 그 친구가 갑자기 "그렇게 엄마가 옆에 있으면 뭐든 했을 텐데 넌 왜 그러는 거야."라 했다. 짧은 물음이었지만, 무언가가 담겨있었다. 난 무어라 답할지 몰라 당황한

채로 아무 말 못하고 집으로 돌아왔다.

 당시 난 오래된 과거와 싸우고 있었고, 부서진 세상 속에서 마음을 추스르고 있었으며, 아버지와의 갈등은 경계를 만들어 나를 막고 있었다. 무엇을 할지 모르겠고, 하고 싶은 것도 없고, 세상에 나갈 용기도 없어, 흐르는 시간을 바라보며 방황하고 있었다. 사람들에게 내 이야기를 하지 않았는데, 여전히 문제 속에 있어 말할 수 없었고, 아직 말하고 싶지 않았고, 말하는 방법도 몰랐기 때문이다. 그런데 그 친구는 내게 특별히 묻지 않았고, 평범한 일상을 오아시스처럼 선물해 주었다. 그게 참 고마웠다. 그리고 언젠가 내가 말할 수 있을 때 나도 그 친구처럼 이야기하고 싶었다.
 하지만, 힘차게 살던 그 친구에게도 버거운 상태가 왔던 거 같다. 오랫동안 다니던 직장을 그만두고 새로운 일을 막 시작하고 있었고, 경제적인 상황을 홀로 해결하며 부담감을 감내하고 있었으니까. 그리고 개인적인 일들을 감당하며 힘들었던 듯하다.

 집으로 돌아온 후 이런저런 생각과 감정이 들었다. 놀랐고 아프기도 했다. 왜 그렇게 질문했을까, 난 뭐라고 답했어야 하나. 그러다, 자신의 이야기를 솔직하게 했던 그 친구에게 이번에는 내가 먼저 말해야 할 거 같았다. 아직은 준비가 안 된 거 같기도, 외면하던 현실을 직면해야 는 것 같기도 해 두렵기도 했다.

용기를 내어 전화를 걸었고, 컬러링을 들으며 어떤 톤으로 이야기를 시작해야 할까 고민했다. 하지만 음악이 끝나고 음성안내 메시지가 나올 때까지 전화를 받지 않았고, 회신도 오지 않았다. 그게 그 친구와의 마지막 기억이었다.

당시 내 존재가 부정당한 거 같았고, 갈 곳 없던 나는 더 갈 곳이 없게 되었다. 그 일 있기 얼마 전, 이사하고 아무도 초대하지 않던 집에 처음이자 마지막으로 그 친구를 데려왔는데, 그게 영향이 있었나 하는 괜한 생각이 들기도 했다. 고마운 마음과 즐거운 추억이 많아, 더 아프게 다가왔던 거 같다. 하지만 어쩌랴. 결국 나의 방황으로 인한 것이고, 지금 내가 필요 없는 것일 테니.

시간은 흘러갔고, 내게도 조금씩 변화가 일어났다. 과거를 서서히 받아들이며 조금은 힘이 생겼고, 하고 싶은 것들이 생기기도 했다. 어쩌다 보니 다시 일을 하게 되었고, 엄마와도 나아졌으며, 아빠와의 관계도 회복하며 지내게 되었다. 그 친구가 문득 생각날 때 덜컥 아프기도 했지만, 어찌할 수 없는 것이라 생각하며 서서히 보내주고 있었다. 그러다 휴대폰의 사진을 보던 중에 그때의 생각이 났고, 사진들을 뽑게 되었다. 당시 무슨 생각으로 그 사진을 뽑았던 건지는 잘 모르겠다. 다시 만나고 싶은 마음인지, 아니면 그것을 전해주면서 그저 인사를 하고 싶었던 건지, 사진과 함께 완전히 보내고 싶었던 건지. 어쨌건 나는 다른 사진들과 함께 그 친구의 것을 뽑았고, 2년 넘게 방 한구석에 기약 없이 보관하고 있었다.

그런데 한 달 전 주말에 그 친구 이름으로 부재중 전화가 떴다. 처음에는 잘못 본 줄 알았다. 회신을 해야 하나 싶다가, 그 친구가 실수로 잘못 누른 거란 생각이 들기도 했다. 그렇게 몇 분을 고민하다, 전화를 걸었다. 이참에 어쩌면 오랫동안 묵혀온 사진을 전해줄 수 있겠다 싶었다.

'또르르르, 또르르르', 수 번의 연결음이 들리고 "여보세

요"라는 밝은 목소리가 들렸다. 예전 그 목소리였다. 오랜만이지만 오랜만이 아닌 듯 그대로였다. 갑자기 내 안에서 무언가 올라와 목이 막히는 거 같았다. 어떻게 대해야 할지 몰라, 너무 밝지도 그렇다고 심각하지도 않은 어정쩡한 톤으로 인사를 하고 말았다.

그 친구는 여전히 그때 새롭게 시작한 일을 하며 잘 지내고 있다 했고, 당시에 자신이 힘든 상황이라 연락하지 못했다고 했다. 휴대폰에 이상이 생겨 전화번호를 다 잃어버렸는데 다른 사람에게 물어보아 알게 되었고, 내가 전화번호를 바꾸지 않았다며 반가워했다.

나는 여전히 같은 곳에 살고 있고, 엄마는 건강관리를 하며 지내고 계시고, 아빠는 이년 전에 하늘나라로 가셨다 말했다. 그리고 예전에 너의 사진을 뽑아놓았는데 전해주고 싶었다고, 그 친구는 자신의 일하는 곳을 알려주며 한번 놀러 오라 했고, 그렇게 우리는 8년 만의 인사를 마쳤다.

전혀 생각지도 못한 일이 일어나 무슨 일인가 싶었다. 하지만 바쁜 일상이 몰아쳐 깊이 생각할 거를도 없이 또 시간이 흘렀다. 그렇게 한 달 정도 지났고 하루의 휴가를 보내게 된 날이었다. 갑자기 그 친구를 만나러 가야할 거 같았다. 더 시간을 보내면 안 될 거도 같았고, 그 친구가 용기 내주었으니 이제는 내가 용기를 내야 할 차례인 거 같았다.

문구점에 들러 사진을 넣을 녹색 종이 한 장을 구매했다. 오늘 들려도 되는지에 대한 내 카톡을 읽지는 않지만, 친구가 없어도 사진만이라도 두고 가자는 생각으로 출발했다. 휴대폰으로 봉투 접는 법을 검색해 사진을 포장했고, 제철 과일인 딸기를 사서 그 친구의 일터로 향했다. 친구의 공간에 도착했고, 상가 2층으로 올라가문을 열고 들어갔다. 책상에 앉아있던 친구는 처음에 나를 알아보지 못하다가, 동그래진 눈으로 내 별명을 부르며 반갑게 맞아주었다. 예전 같았다. 난 딸기와 편지를 건넸고, 넓은 테이블이 있는 곳에 자리를 잡고 앉았다. 그렇게 우리의 8년 만의 만남이 성사되었다.

길지는 않은 시간이었다. 그 친구는 그간 힘들었던 일과지금 하고 있는 일을 이야기했고, 여전히 자신의 공간에서일하는 게 신기하다 했다. 나는 그간 내게 감동을 준 사람의 이야기를 했고, 오랜만에 전처럼 대화를 주고받는 순간이 신기했다. 웜홀을 통해 예전에 멈췄던 시간의 끝에서 바로 이동해 온 거 같았다. 서로 이야기를 이어나가던 중 친구의 업무미팅 관계자가 왔고, 난 자리에서 일어나 인사를 하고 나왔다.

집으로 돌아오는 길, 친구는 전화로 '사진 고맙다'며 다음에는 같이 밥 먹고 이야기하고 놀러도 가자 했다. 나도 얼마 전 차가 생겼으니 같이 놀러 가자 했다.

집에 도착해 방으로 들어왔다. 여전히 짐 많고 어지러운 방이었다. 가뜩이나 정리를 잘하지 못하는데, 최근 복잡한 마음에 에라 모르겠다 하며 그나마 하던 정리도 않고 있어, 내 방은 역대급으로 엉망인 상태였다. 그런데 오늘 작지만 커다란 한 가지가 제 주인을 찾아가며 작은 공간이 생겼다. 생각지도 못하게 오랫동안 묵어있던 방의 한 부분을 정리할 수 있었다.

그리고 잠시 그런 생각이 들었다. 오랫동안 준비한 것이 있다면, 그것이 진심이었다면, 언젠가 그것이 자기의 자리를 찾을 때가 온다고, 그런 순간이 온다고, 내가 어찌지 못하는 상황일지라도, 그때가 온다고. 그리고 그렇게 믿고 싶어졌다. 오래전 준비했던 친구의 사진이 마법같이 전해졌듯 말이다.

　다시 방 정리를 해야 할 거 같다. 그래야 조금은 발 디딜 틈이 생길 거 같다. 쓰레기도 버리고, 오랫동안 쌓아온 쓸모없는 물건은 버리고, 추억이든 필요하든 보관하고 싶은 것은 잘 정리하고, 줄 것은 주고, 이불과 옷은 빨고, 봄옷으로 정리해야겠지. 크게 하지 못하더라도 작게 봄맞이 청소를 해봐야겠다.

동백꽃씨

심기

두 달 전 즘 아직 겨울이던 때, 동백꽃 씨앗 다섯 개를 선물 받았다. 씨앗은 손가락 끝마디 정도의 크기에 도토리처럼 딱딱했고 갈색 반구 모양이었다. 동백꽃에 씨가 있을 거라 생각조차 못 했기에, 난생처음 보는 동백꽃 씨앗이 새끼 고양이처럼 소중하게 느껴졌다. 봄에 심으면 된다는 한마디 조언을 기억하며, 눈에 잘 띄는 곳에 씨앗을 두고 봄이 오길 기다렸다. '당신만을 사랑합니다'라는 꽃말이 씨를 더 심고 싶게 만들었다. 하지만 아무리 봐도 이렇게 딱딱한 데서 잎이 나오고 커다란 나무가 된다는 게 잘 상상이 되지 않았다. 난 '이 중 하나는 나지 않을까.' 하는 반신반의의 기대로 봄을 기다렸다.

드디어 벚꽃이 만발한 날이 다가왔다. 다섯 개 중 두 개는 새로운 시작을 하는 친구에게 선물해서, 세 개의 씨앗이 남아있었다.

'화분에 심을까? 아냐, 나무가 될 거니까 아예 밖에다 심는 게 좋겠어. 자라는 걸 볼 수 있게 집 앞 공터에 심어볼까? 아냐, 전에 보니까 제초작업을 하던걸 잘릴 거 같아.'

이런저런 고민 끝에, 한 개는 집안 화분에 두 개는 밖에 심기로 했다.

집에 있던 황색 토분을 찾아 첫 번째 씨앗을 심었다. 흙 속에 꾹 넣기만 하면 되는 간단한 작업이었다. 씨를 심는 게 마음에 들었다.

다음날 작은 물통에 물을 담고, 모종삽을 챙겨 밖으로 나왔다. 하얀 강아지 털처럼 뽀얗게 핀 벚꽃을 구경하고, 얼마 전 보아두었던 장소로 향했다. 그곳은 산 끝자락에 있는 도서관인데, 통창 너머에 나무들이 조경되어 있어 마음에 들었더랬다. 가끔 이곳에 와 동백나무가 자라는 것을 볼 수 있으면 좋겠다 싶었고, 다른 사람들도 그곳에 앉아 동백꽃을 보는 상상을 하니 뿌듯하기까지 했다.

하지만 가까이 가본 나무들 터는 생각보다 작았고, 건물과 다른 나무들에 가려 볕이 잘 안들 거 같았다.

'내가 보기에는 좋지만, 얘가 해를 못 받아선 안되지. 여기는 탈락'

새로운 곳에 전학 가는 아이가 텃세를 받아서 힘들어할까 걱정하는 학부모가 된 거도 같았다. 그리고 나무는 별일 없는 한 심긴 자리에서 평생을 살아야 하니 신중해질 수밖에 없었다.

나는 산 쪽으로 조성된 산책길로 향했다. 보도블록 옆으로 아까보다 넓은 산비탈이 펼쳐졌고, 이름 모를 다양한 나무들이 있었다. 곧 좋은 자리를 발견할 수 있을 거란 기대가 생겼다.

'햇빛은 잘 들까? 남향이 좋겠지? 사람들이 잘 밟지 않는 곳이 어딜까? 이 동네는 소음은 별로 없어 괜찮겠네. 나중에 자라서도 지내기 적당할까?'

동백나무의 땅을 찾는 게 사람이 집을 보러 다니는 것과 비슷하다 느껴졌다.

'가로등이 있으면 밤에 잠을 못 자니 패스. 여기는 너무 가팔라서 안돼. 패스. 여기는 공간은 괜찮은데 해가 잘 안들 거 같아. 패스'

금방 찾을 수 있을 거 같았는데, 마땅한 곳이 생각보다 잘 보이지 않았다. 이렇게 땅이 많은데 이 작은 씨앗 하나 심을 데가 없는가 싶었다.

그렇게 50m 즈음 걸었을까, 벤치 뒤에 비스듬한 경사로가 눈에 들어왔다. 가느다란 목련 나무 네 그루와 크지 않은 단풍나무 사이에 적당한 공간이 있었다. 다른 나무가 볕을 가리지 않을 빈터였고, 동백나무로 크게 자라도 좋을 넓이었다.

'이곳이면 괜찮겠다...!'

나는 삽을 꺼내 작은 구멍을 파기 시작했다. 땅속에는 밖에서는 보이지 않던 다른 나무들의 뿌리들이 얼기설기 묻혀 있었다. 나는 구멍 주위에 흙을 살짝 흐트러뜨려, 씨앗 뿌리와 잎이 조금은 쉬이 나올 수 있게 해주었다. 얼마 안 되는 나의 응원이었다. 구멍에 씨앗을 넣고 흙을 덮어준 후, 잘 자라라는 마음을 담아 물을 뿌렸다.

야외의 첫 씨 심기를 무사히 마치고 가벼운 마음으로 돌아 내려가고 있는데, 순간 '아차' 싶었다.

생각해 보니 바닥에 낙엽이 많지 않고 풀이 짧게 정돈되어 있었는데, 그건 누군가 관리를 하고 있다는 뜻이었다. 그렇다면 제초기를 써서 풀들을 정리할 가능성이 있었다.

'이런...'

하지만 이미 씨앗은 심어졌다. 이제 그 아이의 운명은 그 아이의 것이었다. 난 그저 무사히 그 아이가 자라기를 바라며, 다소 무거워진 마음으로 발걸음을 옮겼다.

마지막 씨앗을 심기 위해 집 근처로 돌아와 장소를 물색하기 시작했다. 1순위였던 집 앞의 작은 녹지를 돌아보았다. 집에서도 볼 수 있고, 남향이고, 나무들 사이가 떨어져 있어 볕을 가리지 않는 최고의 장소였다. 하지만 어느 여름, 제초기로 무성한 풀을 정리하는 걸 목격했기에 소중한 동백이를 불안한 곳에 놓아둘 수 없었다. 승인된 것만 존재할 수 있는 곳은 선택지에서 제외하기로 했다.

'패스.'

'그래, 산에는 사람의 손길이 적으니 잘릴 위험이 없겠지? 나무니까 야생의 산에서 자라는 게 더 맞을지 몰라.'라고 생각하며 집 뒤 야산으로 향했다.

걸어가는 길에, '나무를 심는 사람'이 생각났다. 사람들의 욕심으로 피폐해진 산과 들에 한 사람이 수십 년 동안 씨를 심으며 다녔고, 점차 푸르러진 환경이 되면서 사람들이 돌아와 마을이 회복되었다는 내용이었다. 비록 난 동백꽃 씨앗 세 개뿐이었지만, 잠시 그 주인공이 된 거 같았다. 묘목은 심기 어렵지만 씨앗이라면 가끔 심으러 다녀도 좋겠다 싶었다.

산은 넓으니 좋은 곳이 눈에 잘 띌 것이라 생각했으나, 그렇게 호락호락 한 일이 아니었다. 평지를 지나 등산로를 타고 산에 오르기 시작했다. 산에 오를 거라 생각지 못해, 벨벳 치마와 재킷을 입은 채였다. 오랜만에 오르는 산은 가팔라 숨이 찼다. 집에서 출발한 지 40분이 훨씬 지났고, 목이 말라 씨앗용 물로 입술을 축였다.

산은 레드오션이었다. 수많은 나무들이 빽빽이 자라고 있었다. 나무와 나무 사이의 간격은 좁았고, 얼마 전에 심은 묘목들이 그나마 있던 공간을 채우고 있었다. 산책길에 가까우면 발길이 닿아 안되고, 산책길을 조금 벗어나면 경사가 가팔라 심기 어려웠다. 다섯 개의 봉우리가 있는 산이었는데, 한 봉우리의 정상에 오를 때까지 적당한 곳을 찾지 못했다. 숨이 차고 집에 돌아가고 싶었지만, 봄이 더 지나기 전에 심어야 했다.

다음 봉우리를 향해 30m 정도를 걸었을 즘, 등산로 옆 작은 공간이 눈에 띄었다. 나무와의 간격도 다른 곳에 비해 여유 있는 편이었다.

'여기다.'

나는 등산로로부터 세 발자국 정도 들어갔다. 가득 쌓인 낙엽을 치우고, 마지막 씨앗을 위한 구멍을 파기 시작했다. 산의 흙은 양분이 많은 검은빛을 띠고 있었고, 낙엽에 덮여 있어 촉촉했다. 역시 산이 좋구나 싶었고, 좋은 장소를 발견해 설렜다. 구멍에 씨앗을 심고 흙을 덮은 후 물을 주었다. 그리고 볕과 비가 잘 닿을 수 있게 주변의 낙엽을 치워주었다. 그렇게 나는 성공적으로 세 번째 동백꽃 씨앗 심기를 마쳤다. 오랫동안 갖고 있던 숙제를 해결한 거 같았다.

각각 다른 장소에 세 개의 동백꽃 씨앗을 심었다. 하나는 집안 화분에, 하나는 사람이 손길 곁의 녹지에, 하나는 산속에.

씨앗이 발아할지, 한다면 어떤 씨앗이 발아할지, 그리고 나무가 될 수 있을지는 아직 모른다. 집안의 씨앗은 안전하고 물만 주면 되지만 내가 잘 키울 수 있는지가 관건이고, 바깥의 씨앗들은 자연이 잘 키워줄 것이라 든든하지만 사람이 해칠 게 걱정이다. 나름 좋은 곳이라 생각해 심었지만 어찌 될지는 알 수 없는 일인 거 같다.

그렇지만 씨앗들이 자신이 선택하지 않은 환경 때문에 제대로 자라지 못하고 저무는 건 마음 아픈 일이니, 모든 씨앗이 잘 자라기를 바라본다. 모두 크고 아름다운 동백나무가 되어 잘 살아가길, 동네 산에 새로운 존재가 되어주기를, 사람들에게도 사랑받으며 오래도록 살아가기를.

언젠가 몇 년 후 동백나무가 아름답고 붉게 꽃 피울 날을 상상해 본다.

작가의 말

오랫동안 묻어두고 묵혀온 이야기들이 있었습니다. 작지만 저에게는 큰 이야기였기에, 지나온 시간 속에 꾹 박혀있었습니다. 언젠가 그 이야기들을 정리해야겠다고 생각했지만, 숙제처럼 남겨 놓은 채 수년이 흘렀습니다. 시간이 지나며 반짝이는 것들이 사라지고 휘발되는 거 같아 동동거리던 차에, 「90일 작가되기 프로젝트」를 만났습니다. 글을 쓰고 싶은 마음만 있으면 된다는 말에 용기를 내어 작업을 시작하게 되었습니다.

글을 쓰며 잊고 있었던 저를 만나기도 했고, 시간이 흐르며 달라진 저를 만나기도 했습니다. 오래된 이야기를 꺼내는 게 어렵기도 했지만, 언젠가는 해야 하는 것이라 스스로를 다독이며 이야기들을 써 내려갔습니다. 제 일상을 누군가가 읽을 수 있게 써본 적이 없어 난관에 부딪히기도 했지만, 우선 써보고 나중에 정리하기로 하고 힘을 내어 글을 모아갔습니다. 오래전에 적어둔 수십 개의 글감, 몇 년 전의 일들, 최근의 생활들을 소재로 책을 채웠고, 저의 변화를 지켜보고자 시간의 흐름대로 정리해보았습니다. 90일이 되어가는 시점에, 목표로 했던 것들을 다 쓰지도 못하고 시간에 쫓겨 이미 쓴 글들도 제대로 손보지 못해 완성하지 못할 것 같았습니다. 하지만 올레비엔 작가님의 응원을 받으며 90일 안에 무언가를 만들어보자고 다시 마음먹고, 정말 부족하고 서투르지만 저의 이야기를 내놓게 되었습니다.

머리말에 공감과 위로를 전하고 싶다고 했지만, 실은 이건 저를 위한 이야기입니다. 제가 반짝이며 커갔던 순간을 담아 기억하고 싶었으니까요. 그러면서 누군가에게 공감과 위로를 주면 더할 나위 없이 좋겠다 싶었습니다. 그렇게 일기 같이 저의 순간을 모아 책을 만들었습니다. 이 책은 지난 시간이 그저 지나간 것은 아니라는, 저 자신을 위한 위로의 선물이기도 합니다.

앞으로도 저와 다른 누군가를 위한 이야기를 써나가고 싶습니다. 제가 갈 여정에 소중한 첫걸음이 될 「그러다 문득, 나에게 로열젤리를 먹이기로 했다」를 출간하는 데 도움을 주신 분들께 깊은 감사를 드립니다.

살아가는 모든 이들이 자신에게 맞는 곳에서, 삶을 선물로 누리며, 자신의 이야기를 온전히 펼쳐나가길 바라며...

2024년 4월 26일 1시 15분 방안 침대에 기대어